Vivimus
ex uno

WISSENSCHAFTLICHE MONOGRAPHIEN
ZUM ALTEN UND NEUEN TESTAMENT

HERAUSGEGEBEN VON

GÜNTHER BORNKAMM

UND

GERHARD VON RAD

Dritter Band:

GESETZ UND GESCHICHTE

VON

DIETRICH RÖSSLER

NEUKIRCHENER VERLAG

DER BUCHHANDLUNG DES ERZIEHUNGSVEREINS

NEUKIRCHEN KREIS MOERS

GESETZ UND GESCHICHTE

UNTERSUCHUNGEN ZUR THEOLOGIE DER JÜDISCHEN APOKALYPTIK UND DER PHARISÄISCHEN ORTHODOXIE

VON

DIETRICH RÖSSLER

1960

NEUKIRCHENER VERLAG

DER BUCHHANDLUNG DES ERZIEHUNGSVEREINS

NEUKIRCHEN KREIS MOERS

© 1960 by Verlag der Buchhandlung des Erziehungsvereins Neukirchen Kreis Moers
Printed in the Netherlands
Gesamtherstellung: H. Veenman & Zonen n.v., Wageningen
Titelzeichnung: Kurt Wolff, Kaiserswerth

INHALT

VORWORT

Diese Untersuchung hat der Theologischen Fakultät in Heidelberg im Sommer 1957 zur Promotion vorgelegen. Für den Druck sind einige Erweiterungen eingefügt worden.

Ich sage an dieser Stelle meinem verehrten Lehrer, Herrn Professor D. Günther Bornkamm für alle Förderung und Anteilnahme meinen herzlichen und aufrichtigen Dank. Außerdem danke ich ihm und Herrn Professor D. Gerhard von Rad D.D. sehr für die Aufnahme dieser Arbeit in die Reihe der „Wissenschaftlichen Monographien zum Alten und Neuen Testament". Dem Korreferenten bei der Promotion, Herrn Professor D. Dr. Karl-Georg Kuhn habe ich für mancherlei hilfreiche kritische Einwände zu danken.

Göttingen, im März 1960   Dietrich Rössler

EINLEITUNG

Es ist eine bemerkenswerte Erscheinung in der jüngeren Aus-
legungsgeschichte des Neuen Testaments, daß die Bedeutung der
spätjüdischen Religionsgeschichte für das Verständnis der Verkündigung Jesu und des Urchristentums sehr unterschiedlich beurteilt
worden ist.[1] Hatte man auf der einen Seite das gesamte Urchristentum und vor allem die Reich-Gottes-Predigt Jesu in engstem und
ausschließlichem Zusammenhang mit der eschatologischen Ge-
dankenwelt des zeitgenössischen Judentums gesehen,[2] so suchten auf
der anderen Seite besonders die Vertreter der „Religionsgeschichtlichen Schule" auch den starken Einfluß hellenistischer Gedanken
und Vorstellungen auf das Urchristentum nachzuweisen.[3] Ein ge-
wisser Konsensus entstand zwar in bezug auf den gewiß jüdischen Hintergrund der Verkündigung Jesu;[4] über die Bedeutung des Spätjudentums für die Theologie des Paulus und des Urchristentums aber blieben die Ansichten auch und gerade dann
noch geteilt, als die religionsgeschichtliche Forschung sowohl die
hellenistische wie die spätjüdische Religiosität zunehmend deutlicher und detaillierter erkennen ließ.[5]

Diese Situation und die Beurteilung der Sachverhalte wurden nun
zu einem erheblichen Teil dadurch kompliziert, daß das religions-
geschichtlich relevante Schwergewicht der spätjüdischen Theologie
in zwei verschiedenen Vorstellungskreisen gesehen werden konnte,
deren theologische Einheit und Zusammengehörigkeit zwar kaum
je angezweifelt wurden, die sich aber dennoch einer einheitlichen
und zusammenfassenden Interpretation offenbar zu entziehen ver-
mochten. So wurde einerseits der Gerichtsgedanke und das mit ihm

---

[1] Vgl. hierzu und zum Folgenden: W. G. Kümmel, Das Neue Testament, Geschichte
der Erforschung seiner Probleme, 1958, S. 259 ff.

[2] So die Vertreter der „konsequenten Eschatologie", vgl. Kümmel, a.a.O., S. 286 ff.;
neuestens M. Werner, Die Entstehung des christlichen Dogmas, 2. Aufl. Bern 1953,
S. 36 ff.

[3] Vgl. Kümmel, a.a.O., S. 310 ff.

[4] Vgl. Bultmann, Theologie des Neuen Testaments, S. 3; G. Bornkamm, Jesus von
Nazareth, 1956, S. 60.

[5] Hier sind einerseits die Arbeiten der „Religionsgeschichtlichen Schule" zu nennen,
vgl. Kümmel, a.a.O., S. 310 ff., sowie ferner die Einbeziehung der mandäischen Texte
(Kümmel, a.a.O., S. 449 ff.) und die neuere Gnosis-Forschung. Auf der anderen Seite ist
besonders auf den Kommentar von Strack-Billerbeck, auf die Darstellungen von G. F.
Moore (Judaism in the first centuries of the christian era, 1927 ff.) und P. Volz (Die
Eschatologie der jüdischen Gemeinde, 1934) und auf die Arbeiten von G. Kittel (besonders: Die Probleme des palästinensischen Spätjudentums und das Urchristentum,
1926) hinzuweisen, vgl. Kümmel, a.a.O., S. 439 ff.

verbundene eschatologische Vorstellungsgut ganz in den Vordergrund gestellt,[1] während von anderer Seite allein der Nomismus und die kasuistische Tora-Auslegung als charakteristisch für die spätjüdische Theologie bezeichnet wurden.[2] Und entsprechend bildeten einerseits vorwiegend die apokryphen und pseudepigraphen Quellen die Grundlage der Darstellung, während andererseits vor allem die rabbinische Literatur dazu herangezogen wurde. Indem man so entweder die eine oder die andere Seite der spätjüdischen Religion hervorhob, blieb dennoch der Anspruch, das Ganze dieser Theologie vor Augen zu haben. Denn darin, daß beide Bereiche im theologischen Ansatz zusammengehören, daß also die Apokalyptik nichts anderes enthalte als die eschatologischen Lehren der rabbinischen Theologie oder doch der von ihr bestimmten Volksfrömmigkeit, bestand und besteht Übereinstimmung.[3]

Hier setzt die Fragestellung der vorliegenden Untersuchung ein. Denn die Annahme einer einheitlichen und in sich übereinstimmenden theologischen Konzeption im Spätjudentum, die sowohl die apokalyptisch-eschatologischen wie die rabbinisch-talmudischen Texte begründete und einschlösse, führt ebenso zu einer Reihe unlösbarer sachlicher Probleme wie der Versuch, die Apokalyptik als einen Komplex von ausschließlich eschatologischen Sondervorstellungen und Hoffnungen zu verstehen, der zwar von der rabbinischen Institution unabhängig und unbeachtet geblieben wäre, mit ihr aber im übrigen und in allen weiteren theologischen Fragen selbstverständlich zusammengehörte und übereinstimmte. Immer blieben dabei sowohl die für die Apokalyptik grundlegenden Besonderheiten etwa in der Messiasvorstellung oder in bezug auf die Geschichtsdetermination unausgeglichen und unerklärbar, wie

[1] So besonders bei Bousset-Greßmann, Die Religion des Judentums im späthellenistischen Zeitalter, 3. Aufl. 1926.
[2] F. Perles, Boussets Religion des Judentums im späthellenistischen Zeitalter kritisch untersucht, Berlin 1903, spricht diesem Werk ab, tatsächlich „die Religion des Judentums" dargestellt zu haben, weil es nicht vor allem von den rabbinischen Quellen ausgeht. – Vgl. ferner G. Kittel, Die Probleme des palästinensischen Spätjudentums und das Urchristentum, BWANT 3, 1, 1926, S. 5ff. – Die rabbinische Literatur liegt der Darstellung von G. F. Moore, Judaism in the first centuries of the christian era, 1927, zugrunde.
[3] So neuestens Schoeps: Paulus, Die Religion des Apostels im Lichte der jüdischen Religionsgeschichte, 1959, S. 32. – Auf Unterschiede auch grundsätzlicher Art zwischen diesen Textgruppen ist freilich schon häufiger hingewiesen worden; allerdings geschah das zumeist im Rahmen sehr einseitiger Gesamt-Thesen, so daß mit dem Ganzen zugleich auch die einzelne Beobachtung diskriminiert schien. Vgl. dazu Friedländer, Die religiösen Bewegungen im Judentum zur Zeit Jesu, 1905, S. 22ff.; Baldensperger, Das Selbstbewußtsein Jesu im Lichte der messianischen Zukunftshoffnungen, 1903; Glatzer, Untersuchungen zur Geschichtslehre der Tannaiten, 1933.

ferner der Tatbestand, daß jede Erwähnung der wiederum für das Rabbinat fundamentalen Halakha in der Apokalyptik fehlt, oder auch die Frage, warum denn von der rabbinischen Orthodoxie die Apokalyptik so grundsätzlich ausgeschlossen worden ist. Aber noch vor den sachlichen sind es methodische Gesichtspunkte, die hier geltend gemacht werden müssen. Die apokalyptischen Texte enthalten keineswegs ausschließlich eschatologische Vorstellungen, so sehr sie im Vordergrund stehen mögen. Es finden sich ebenfalls große paränetische Abschnitte, Psalmen und Redestücke, sowie eine Fülle von Aussagen zu theologischen Themen, etwa über Gesetz, Gerechtigkeit, Sünde und Leiden. Nicht allein der formale und literarische, sondern vor allem der theologische Zusammenhang dieser Texte wird negiert und zerrissen, wo man versucht, die Apokalyptik auf ein Konvolut eschatologischer Vorstellungen zu reduzieren.[1]

Ebendieser Gesamtzusammenhang, der die ganze Reihe theologischer Aussagen und Themen umschließt, ist deshalb für die Interpretation der Apokalyptik vorauszusetzen und zugrunde zu legen. Von diesem Ausgangspunkt aus ist der hier vorgelegte Versuch unternommen. Er hat also die Frage nach der theologischen Konzeption der Apokalyptik zum Thema, und zwar mit der besonderen Hinsicht auf ihr Verhältnis zum Ansatz der rabbinischen Theologie. Der Rahmen dieser Arbeit machte es notwendig, sich auf die Darstellung der theologischen Grundzüge beider Bereiche, soweit sie den Gesamtentwurf hinreichend verdeutlichen, zu beschränken. So mußte auch die Frage nach dem „Sitz im Leben", nach dem historischen Hintergrund der apokalyptischen Texte, unerörtert bleiben, und ebenfalls konnten die Qumran-Texte nicht mit einbezogen werden. In beiden Fällen, besonders im letztgenannten, wären umfassende historische und vergleichende Untersuchungen nötig, die den Rahmen dieser Arbeit bei weitem sprengen würden. Der mit dieser Beschränkung notwendig verbundene Mangel könnte indessen dadurch ausgeglichen werden, daß das theologische Grundanliegen der im Folgenden behandelten Quellen um so unverstellter und deutlicher hervortritt.

---

[1] Das geschieht besonders eindrücklich bei Oepke, ThWB III, S. 581.

A. GESETZ UND GESCHICHTE IN DER PHARISÄISCHEN ORTHODOXIE

So wenig über das Geschick der jüdischen Gemeinde von der Perserzeit bis zu den Jahren der ptolemäischen Herrschaft bekannt ist,[1] so reichhaltig sind die Nachrichten und Quellen zur jüdischen Geschichte seit der seleukidischen Eroberung.[2] Besonders über die Krise unter Antiochus IV. Epiphanes liegen vielfältige Quellen vor,[3] und auch von den wechselvollen politischen Verhältnissen in Palästina und Jerusalem in der folgenden Zeit ergibt sich aus jüdischen, griechischen, religiösen und profanen Quellen ein verhältnismässig klares Bild, und zwar bis hin zum Untergang Israels in den großen Aufständen der beiden ersten christlichen Jahrhunderte.[4]

Aber so deutlich der Weg Israels in den letzten 300 Jahren seines Bestehens zu werden vermag, so bleiben doch auch entscheidende Züge und sehr wichtige Faktoren aus dieser Zeit ganz oder weithin im Dunkel. Es herrscht einige Klarheit über die politische und dynastische Entwicklung, und ebenso sind über die sozialen und soziologischen Verhältnisse, jedenfalls aus einigen Abschnitten dieser ganzen Epoche, sichere Angaben zu gewinnen.[5] Aber das uns zugängliche Bild der religiösen und theologischen Entwicklung aus dieser Zeit ist keineswegs in gleichem Maße deutlich. Ein normatives Judentum mit dem Anspruch, eine allein gültige orthodoxe Lehre zu vertreten, entwickelte sich erst nach dem Krieg 66–72 n.Chr. aus dem pharisäischen Rabbinat.[6] Seitdem wurden andere

---

[1] Vgl. Noth, Geschichte Israels, S. 304: „Zwei Jahrhunderte lang hat Israel mit der ganzen vorderorientalischen Welt unter persischer Herrschaft gestanden. Außer dem, was wir über die Neuanfänge des Kultes in Jerusalem auf Grund des Kyros-Erlasses und über die Statthalterschaft Nehemias in der Provinz Juda im dritten Viertel des 5. Jahrhunderts und endlich über die Entsendung Esras in der Zeit unmittelbar nach Nehemia in der Überlieferung erfahren, wissen wir über die Geschichte Israels in dieser langen Zeit fast gar nichts." Und ebd. S. 313: „Aus dieser Zeit der Ptolemaierherrschaft wissen wir nur ganz wenig über die Geschichte der Jerusalemer Kultgemeinde." Vgl. auch Wellhausen, Israelitische und jüdische Geschichte, 9. Aufl., Bln. 1958, S. 178.

[2] 198 v. Chr. schlug Antiochus III. bei Paneas Ptolemaios V. Epiphanes und gewann damit die Herrschaft über Phönicien und Palästina.

[3] Vgl. die Zusammenstellung und Verwertung der Texte bei Bickermann, Der Gott der Makkabäer, S. 17ff. Vgl. auch Bickermann, Die Makkabäer, 1935; Jansen, Die Politik Antiochus' IV., 1943.

[4] Vgl. Schürer, Geschichte, I S. 31ff.

[5] Vgl. Jeremias, Jerusalem zur Zeit Jesu.

[6] Vgl. Moore, Judaism, I S. 110.

religiöse und theologische Strömungen ausgeschieden; die talmudische Überlieferung ist „einseitig pharisäisch redigiert",[1] und die absolute Herrschaft der pharisäischen Theologie wurde im Judentum bis zum Aufstand der Karäer im 8. Jahrhundert nicht in Frage gestellt.[2] Aber bis zu dem großen Einschnitt der Zerstörung Jerusalems waren die Verhältnisse keineswegs ebenso eindeutig. Bis dahin gab es keine Orthodoxie und also auch keine Heterodoxie. Es gab keine allein verbindliche Lehre, die das Judentum in der ganzen Epoche religiös und theologisch zusammengefaßt hätte. Vielmehr gab es eine Reihe einzelner Gruppen und Konventikel, die in den verschiedensten religiösen Vorstellungen deutlich und oft sehr wesentlich differierten. Nimmt man hinzu, daß diese theologischen Systeme niemals allein auf einen rein religiösen Bereich beschränkt bleiben konnten, sondern stets bestimmte politische Konzeptionen und Standpunkte implizierten, so wird das Bild noch vielschichtiger. Aber trotz aller Gegensätze, die besonders auf politischem Gebiet hervortraten,[3] ist es offenbar doch nie zu grundsätzlichen Spaltungen gekommen. Lehrreich ist hier das Beispiel der Essener: obwohl sie gerade den Jerusalemer Kult als nicht rein verwarfen und sich davon ausschlossen, haben sie sich doch nie von der Pflicht entbunden, die geforderten Gaben an den Tempel zu senden.[4] So verschieden also die religiösen Gruppen voneinander waren, und so sehr sie sich gegeneinander abgrenzten – fast alle haben z.B. die traditionelle Vorstellung vom „Heiligen Rest" für sich in Anspruch genommen[5] – so hat es offenkundig doch die Bindung an eine gemeinsame Überlieferung gegeben, die ein völliges Auseinanderfallen verhinderte. Und fragt man nach dem Wesen dieser gemeinsamen Überlieferung, so kann sich nur die eine Antwort ergeben: das Gesetz. Es hat keine spätjüdische Gruppe oder Gemeinschaft gegeben, für die nicht die Tora das Zentrum ihrer theologischen Vorstellungen gewesen wäre. Durch die Bindung an das Gesetz blieb dem Judentum die Einheit, die es für alle Außenstehenden zu einem homogenen Volk machte.[6] Aber bei der wei-

---

[1] Jeremias, Jerusalem zur Zeit Jesu, II B, S. 127.

[2] Vgl. RE X, S. 54 ff.; XXIII, S. 737 ff.; Encycl. Jud. IX, 923 ff.

[3] Vgl. z.B. den Konflikt zwischen Alexander Jannäus und den Pharisäern, dazu Moore, Judaism, I, S. 64.

[4] Josephus, ed. Niese, Antiqu. XVIII, 19. – Zu den vom Tempel geforderten Abgaben vgl. Schürer, Geschichte, II S. 297 ff.

[5] Vgl. dazu Jeremias, Der Gedanke des „Heiligen Restes" etc., ZNW 42, 1949, S. 184 ff.

[6] Vgl. z.B. die Zitate aus griechischen und römischen Schriftstellern gegen die Juden bei Bickermann, Gott der Makkabäer, S. 21 ff.; ferner Bertholet, Die Stellung der Israeliten und Juden zu den Fremden, 1896.

teren Frage, wie innerhalb dieser Einheit die Unterschiedenheit im
einzelnen begründet wurde, oder wie jeweils in einer Gemeinschaft
oder Gruppe das Gesetz verstanden und interpretiert wurde, stellen
sich große Schwierigkeiten ein. Ein bis ins letzte detailliertes Bild
lassen die Quellen nicht zu, besonders wenn man berücksichtigt, daß
diese Gruppen nicht statische Gebilde waren, sondern sich in einem
längeren oder kürzeren geschichtlichen Zeitraum entwickelten und
entfalteten, wovon gewiß immer auch die theologischen Vorstellungen mitbetroffen wurden. Beispielhaft deutlich werden diese
Schwierigkeiten bei der oft behandelten Frage nach der Geschichte
des Pharisäismus. Sicher scheint hier nur dies zu sein, daß einmal
diese Gemeinschaft bereits vor Beginn der makkabäischen Erhebung
bestanden hat,[1] und daß zum anderen eine neue Auffassung vom
Geltungsbereich und vom Umfang des Gesetzes von ihr vertreten
wurde.[2] Darüber hinaus hat es in der Forschung die verschiedensten
Meinungen über das Wesen, über Anfänge und Entwicklung des
Pharisäismus gegeben.[3] So bleibt das Bild der religiösen und theologischen Entwicklung des Judentums in den letzten Jahrhunderten
vor dem Untergang „Israels"[4] weithin undeutlich, und es bedeutet

---

[1] Das I. Makkabäerbuch nennt unter den Gruppen, die sich um Mattathias scharten
auch die Pharisäer: „Dann versammelte sich zu ihnen die Gemeinschaft der Asidäer
(συναγωγὴ 'Ασιδαίων), tapfere Männer aus Israel, die sich willig dem Gesetze hinga-
ben" 2,42.

[2] Josephus Antiquit. X, 6: „Die Pharisäer haben dem Volke aus der Überlieferung der
Väter viele Gesetze auferlegt, die nicht geschrieben sind im Gesetz Moses."

[3] Nur die wichtigsten Thesen können hier kurz erwähnt werden. Nach Schürer (Geschichte, II S. 456ff.) und Wellhausen (Pharisäer und Sadduzäer, 1924) sind die Pharisäer als religiöse Partei mit ausgeprägten politischen Zielen aus der Opposition zu den
herrschenden Sadduzäern entstanden. Buechler (Der galiläische Am ha arez, 1906)
setzt den Beginn des Pharisäismus erst nach 70 n. Chr. an, während Finkelstein (The
pharisees, their origin etc., Hav. Theol. Rev. 22, 1929, S. 185ff.; The pharisees, 1938)
die Pharisäer als städtische Bewegung den Sadduzäern als mehr ländliche entgegenstellt
(vgl. dagegen G. Kittel in Orient. Lit. Ztg. 1931, 412). Für W. Foerster (Der Ursprung
des Pharisäismus, ZNW 34, 1935, S. 35ff.) war das ursprüngliche Ziel der Pharisäer ein
allgemeiner Aufruf zu Buße und Umkehr. Leszynski (Die Sadduzäer, 1912), E. Meyer
(Ursprung und Anfänge, II S. 282ff.), Tr. Herford (Die Pharisäer, 1928) und Moore
(Judaism, I S. 66) beschränken sich im Wesentlichen darauf, die besondere Stellung
der Pharisäer zur mündlichen Tradition gegenüber den Sadduzäern herauszustellen.
Darüber hinaus weisen Schlatter (Geschichte Israels, 1925, S. 138), Jeremias (Jerusalem
zur Zeit Jesu, II B S. 138f.) und Goppelt (Christentum und Judentum, 1954, S. 25)
darauf hin, daß die spezifisch pharisäische These von der allgemeinen Verbindlichkeit
auch rein priesterlicher Reinheitsvorschriften wahrscheinlich schon am Anfang der
pharisäischen Bewegung gestanden hat, und daß ihr Ursprung daher wohl in priester-
lichen Kreisen zu suchen sei (ähnlich K. H. Booth, The bridge between the testaments,
1929, S. 41ff.). Diese Auffassung steht fraglos in großem Einklang mit der Überlieferung.

[4] Nach Noth, Geschichte Israels, S. 15 ist in den Aufständen 66–70 n. Chr. und 132–
135 n. Chr. und dem damit verbundenen Auflösungsprozess der eigentliche Untergang
„Israels" und der Beginn des „Judentums" zu sehen. Vgl. dagegen R. Meyer (Die Bedeutung des Pharisäismus für Geschichte und Theologie des Judentums, ThLZ 77,
1952, Sp. 677ff.), der auf die mannigfachen Verbindungslinien zwischen dem nachexilischen Judentum und dem Rabbinat hinweist.

keine grundsätzliche Änderung dieses Tatbestandes, daß durch die
Textfunde von Qumran wenigstens das Wesen und die Vorstellungen
dieser essenischen Gemeinschaft klarer erkannt werden können.

Für unsere Untersuchung empfiehlt es sich daher, zunächst von
einem Gebiet auszugehen, in dem die Quellen eine möglichst
sichere Deutung erlauben. Das ist die Literatur des pharisäisch bestimmten Rabbinats. Zieht man dazu in Betracht, daß die Theologie dieser Rabbinen ja keineswegs erst nach der Zerstörung Jerusalems neu entstanden ist, sondern daß vielmehr hier deutliche
Linien bis zurück in das Alte Testament bestehen,[1] und weiterhin,
daß die uns vorliegenden Texte oft auf eine sehr viel ältere mündliche Tradition zurückgehen,[2] so wird deutlich, daß hier nicht nur
ein Bild der jüdischen Vorstellungen allein aus nachchristlicher
Zeit gewonnen werden kann. Die Vorstellungen selbst sind älter,
und das könnte besonders dadurch erhärtet werden, daß sie sich
dann auch in früheren Texten auffinden lassen.

I. DIE RABBINISCHE LITERATUR[3]

1. *Das Gesetz*

a. „תּוֹרָה bezeichnet in seinem weitesten Sinne die Gesamtheit der
jüdischen Lehre, sei es als Grundlage des religiösen Erkennens und
Handelns, sei es als Gegenstand des Studiums."[4] Dabei ist תורה zu-
nächst identisch mit dem Pentateuch als Sammlung des mosaischen
Gesetzes.[5] Weil jedoch die gesamte heilige Schrift einschließlich der
Propheten und Hagiographen[6] nicht nur über die Tora hinaus
nichts Neues bringt, sondern auch in diesen Teilen zumindest im
Ansatz bereits im Pentateuch enthalten ist,[7] kann תורה ebenso den
Kanon bezeichnen.[8] Zu dieser Tora tritt nun – und das ist ein

---

[1] Vgl. K. G. Kuhn, Die Entstehung des talmudischen Denkens, Forschungen zur
Judenfrage, Bd. I, 1937, S. 64f.

[2] Vgl. Bacher, Terminologie, S. Vf.

[3] Es kann im Rahmen unserer Untersuchung nicht die Aufgabe dieses Abschnittes
sein, über die rabbinische Literatur im Ganzen zu referieren. Wir beschränken uns auf
einige, für unseren Zusammenhang wesentliche Grundzüge und legen dabei nach Möglichkeit die älteren Stoffe der rabbinischen Texte zugrunde.

[4] Bacher, Terminologie, S. 197. Vgl. zum Folgenden Gutbrod, ThWB IV, S. 1046ff.

[5] Gutbrod, ThWB IV, S. 1047.

[6] Die Dreiteilung „Gesetz, Propheten und Schriften" erscheint wohl zuerst im Munde
R. Gamaliels II. (90 n. Chr.) b. Sanh. 90b.

[7] Vgl. Moore, Judaism, I, S. 239.

[8] Vgl. R. Meyer, ThWB III, S. 981; Bacher, Terminologie S. 197.

Grundpfeiler der pharisäischen Theologie – eine zweite hinzu. Auf die Frage, wie groß die Tora sei, antwortet Schammai:[1]

שתים תורה שבכתב ותורה שבעל פה

Die schriftliche und die mündliche Überlieferung gehören untrennbar zusammen, und auf die Einheit beider Teile kann unter keinen Umständen verzichtet werden.[2] In diesem Sinne ist „die Gesamtheit der jüdischen Lehre" zu verstehen, die mit תורה bezeichnet wird.

Die Tora ist göttlichen Ursprungs und durch die Vermittlung Moses an Israel gekommen.[3] Und zwar gilt das nicht allein für das schriftlich überlieferte Gesetz. Auch die mündliche Überlieferung ist bereits auf dem Sinai von Gott an Mose gegeben worden.[4] Damit wird der Tora im ganzen Offenbarungsdignität zugesprochen.

b. Sachlich kann man das Gesetzesverständnis so zusammenfassen: „1. Gott hat sich ein für alle mal in der Tora und nur in der Tora offenbart. 2. Der Mensch hat sein Verhältnis zu Gott nur in seinem Verhältnis zur Tora."[5] Dabei ergibt sich der zweite Satz notwendig und unmittelbar aus dem ersten. Der Bedeutung dieser Aussage ist jetzt nachzugehen.

Indem das Gottesverhältnis des Menschen ausschließlich durch sein Verhältnis zur Tora bestimmt ist, begegnet ihm in der Tora die Summe des gebietenden Gotteswillens. Da es außerhalb der Tora kein Gottesverhältnis gibt, führt das Wesen der Tora als Gesetz darauf, daß der Mensch Gott allein in seinen Geboten begegnen kann. Daß Gott sich nur in der Tora offenbart hat, impliziert, daß seine Offenbarung Gesetz und nur Gesetz ist. In seiner konkreten Gestalt erweist sich dieses Gesetz für den Menschen als Summe von Einzelgeboten. Es ist grundlegend für die Gerechtigkeit des Menschen, daß er den einzelnen Geboten des Gesetzes Gehorsam entgegenbringt. Daher trifft man schon früh auf die Tendenz, das Gesetz als Sammlung dieser Gebote zu systematisieren. Die Tora enthält 613 Einzelgebote, von denen 365 Verbote und 248 Gebote sind.[6] So wird das Leben des Juden durch und durch von der Viel-

---

[1] Bar. Sabb. 31a; vgl. dazu Kaatz, Die mündliche Lehre und ihr Dogma, I, S. 12 f.
[2] Vgl. Strack-Billerbeck I, S. 930.
[3] Vgl. Strack-Billerbeck IV, S. 435ff.
[4] Vgl. dazu die Formel הלכה למשה מסיני; Bacher, Terminologie, S. 42.
[5] Gutbrod, ThWB IV, S. 1047; vgl. auch Herford, Das pharisäische Judentum, Leipzig 1913, S. 48ff.
[6] Strack-Billerbeck I, S. 900f.; III S. 542; IV S. 438f. Bacher, Terminologie, S. 116.

zahl einzelner Satzungen bestimmt. Und das beschränkt sich keineswegs nur auf einen bestimmten Bereich menschlichen Tuns und
Handelns. Das gesamte menschliche Leben wurde sehr bald nach
allen Richtungen hin vom Gesetz her zusammengefaßt. Das gerade
war das Ziel, daß keine menschliche Bewegung und nach Möglichkeit kein einziger Akt aus dem Wirkungsbereich des Gesetzes her-
ausfiel. Konkret bedeutete dies, daß jedes menschliche Tun seine
Entsprechung in einem Gebot finden mußte. Die Entwicklung auf
dieses Ziel hin wird beispielhaft deutlich an der Überlieferung über
das Wesen des Torastudiums. Diente die Beschäftigung mit dem
Gesetz ursprünglich dem Erwerb genauerer Kenntnis, so wird sie im
Rabbinat schon früh zu einem Gebot, ja sie wiegt so schwer wie die
Erfüllung anderer Gebote zusammen.[1] Ganz in diesen Zusammenhang gehört überhaupt die Entfaltung und Ausbreitung der תורה
שבעל פה. Sie kam wesentlich zustande „by the search in the Scrip-
tures for a principle, by which a new question could be answered or
new actual conditions or emergencies met".[2] Jede neu auftretende
Frage, und zwar keineswegs nur solche aus juristischem Bereich,[3]
führte mit ihrer Lösung zu einer Erweiterung der mündlichen
Tradition. Sie wuchs auf diese Weise oft bis ins Ungemessene an.[4]
Die kontingente Mannigfaltigkeit des öffentlichen und des privaten
Lebens führte notwendig zu einer entsprechenden, ganz auf die
Einzelheit abgestellten Kasuistik. Die konkrete Wirklichkeit forderte
unabwendbar den zunehmenden Zerfall des Gesetzes. Dabei ist
wohl zu beachten, daß dieser Prozeß sehr wesentlich theologisch
begründet war. Die Kasuistik entstammt nicht einer auf bloße
Spekulation bedachten Exegese und auch nicht, oder wenigstens
nicht primär, der Absicht, ein zu schweres Gesetz praktikabel zu
machen.[5] Die immer weiter zerfallende Kasuistik hat ihren Ursprung in der dogmatisierten Voraussetzung, daß der Mensch sein
Gottesverhältnis allein in seinem Verhältnis zur Tora habe. Da für
das Rabbinat die göttliche Offenbarung so ausschließlich den Charakter des Gesetzes hatte, mußte es zur eigentlichen theologischen
Aufgabe werden, nicht nur einzelne Bereiche, sondern das gesamte

---

[1] Pea 1,1; vgl. Aboth 2, 8ff.; Moore, Judaism, II S. 239. – Der Wert des bloßen
Studiums wird später zunehmend betont, vgl. Strack-Billerbeck III, S. 85ff.

[2] Moore, Judaism, I S. 255.

[3] Natürlich ist für das Rabbinat nicht ein „juristischer" von einem „religiösen" Bereich zu trennen. Die Einheit der für das moderne Denken verschiedenen Größen liegt
im gesetzlichen Charakter der Offenbarung.

[4] Vgl. z.B. die unzähligen Sabbatbestimmungen, von denen es Chag. 1, 8 heißt, sie
seien wie Berge, die an einem Haar hängen (hinsichtlich der Schriftgrundlage).

[5] Es stand für die Rabbinen außer Frage, daß das Gesetz von א bis ת vollkommen
gehalten werden könnte, vgl. Strack-Billerbeck I, S. 814ff.

Leben des Gerechten unter das Gesetz zu stellen. Eben weil der Gerechte seine Gerechtigkeit allein unter dem Gesetz hat, wird es für ihn die schlechthin wesentliche Frage, wie er immer und in jeder Situation im Bereich des Gesetzes bleiben kann. Besonders eindrucksvoll zeigt sich diese Intention in Sifr. Lev.178a (zu 8, 25):[1]

„Du hast kein einziges Ding, an dem nicht ein Gebot von Gott her wäre. Bei den Früchten gibt es viele Gebote: Heben, Zehnten, Teighebe, Erstlinge, Nachlese, Vergessenes und Ackerrand. Bei den Türen der Häuser und den Toren der Städte gibt es ein Gebot von Gott her, denn es heißt: Schreibe sie auf die Pfosten deines Hauses und an deine Tore, Dtn. 6 9. Bei den Kleidern gibt es ein Gebot von Gott her, Dtn. 22 11. Ebenso beim Mantel, Dtn. 22 12; beim reinen Vieh, Dtn. 15 19; beim unreinen Vieh, Ex. 13 13; bei Wild und Geflügel, Lev. 17 13; bei nicht mit Namen genanntem Vieh und Wild, Lev. 27 29."

Aber gerade, indem dieser Text die Absicht, an jedem Ding ein Gebot Gottes zu finden und also jede mögliche Situation des Lebens unter das Gesetz zu stellen, so deutlich macht, zeigt er zugleich, wie unter diesem Bemühen das Gesetz in die Unzahl von Geboten zerfallen ist. Diese Unzahl von Einzelgeboten ist die konkrete Gestalt des Gesetzes in der pharisäischen Orthodoxie.

c. Der dogmatische Grundsatz, nach dem Gott sich allein in der Tora offenbart hat, hat weiterhin die Folge, daß nun in dieser Tora die vollständige und suffiziente Äußerung Gottes dem Menschen gegenüber vorliegt. Die Tora ist nicht Zeugnis der Offenbarung, sondern ihr Ergebnis, in ihr ist die gesamte, für das Heil notwendige Mitteilung Gottes als offenbare zugänglich. Daß eben diese Mitteilung als Gesetzescorpus verstanden wurde, zeigt, daß bereits ursprünglich und prinzipiell die Offenbarung Gottes als Offenbarung einzelner Gebote angesehen wurde. Denn gerade, daß die Offenbarung Gesetz war, konnte nicht heißen, daß sie sich auf ein Gebot beschränkte. Von Anfang an mußte für das pharisäische Denken die Tora als Gebotssammlung erscheinen.[2] Der Zerfall in die ungeheuerlich wachsende Zahl einzelner Satzungen ist also nicht Zeichen eines defizient gewordenen Gesetzesverständnisses, es bedeutet keinen Abfall von einem ursprünglich anderen Denken. Es zeigt sich darin nichts anderes als die konsequente Entfaltung eines theologischen Ansatzes, dessen Wurzeln deutlich bis in das Alte Testament zurückgehen.[3]

---

[1] Vgl. ferner Strack-Billerbeck IV, S. 3 ff.
[2] Vgl. K. G. Kuhn, Entstehung des talmudischen Denkens, S. 65.
[3] Vgl. M. Noth, Die Gesetze im Pentateuch, besonders S. 112 ff. „Das Gesetz' als absolute Größe in der Spätzeit" bildet den Boden für die pharisäische Tora-Interpretation.

Es war bereits darauf hingewiesen worden, daß die Tora im
ganzen, und zwar sowohl die schriftliche wie die mündliche Überlieferung, als Offenbarung verstanden wurde. Die Notwendigkeit,
diese Überlieferung zu erweitern und auch die Übereinstimmung
der Halakha mit dem geschriebenen Gesetz zu erweisen, machte
bereits früh die Exegese zur Aufgabe.[1] Die Methoden dieser Exegese
sind sicher aus vielschichtigen Motiven und Wurzeln erwachsen.[2]
Ihre theologische Bedeutung aber hat sie durch ihren Gegenstand. Sie ist wesentlich dadurch bestimmt, daß der zu exegisierende
Text, eben die Tora, die Offenbarung Gottes ist. Dadurch wird der
Vorgang der Exegese sachlich zum Offenbarungsgeschehen. Das
zeigt sich beispielhaft an einer terminologischen Beobachtung: das
Verbum הגיד, das im Alten Testament weithin den Empfang einer
Offenbarung Gottes beschreibt,[3] ist in der tannaitischen Literatur
bereits ein fester terminus technicus der Exegese. „Während mit
אמר angegeben wird, wie der Wortlaut des Textes lautet, dient הגיד
dazu, um anzugeben, was der Text besagt, was er anzeigt, mitteilt,
lehrt."[4] Subjekt des Vorgangs, der mit הגיד bezeichnet wird, ist also
hier die Tora selbst. Im Vollzug der Exegese entfaltet die Offenbarung sich selbst, so daß das Ergebnis solcher Entfaltung immer
wieder von gleicher Dignität ist.[5] Zum gleichen Ergebnis führt die
Voraussetzung, nach der der Gegenstand der Exegese die Offenbarung ist dadurch, daß sie gerade um dieser Qualität willen nicht
unvollständig sein kann. Eben weil die Tora einzige Offenbarung
Gottes ist, muß sie alle künftige, für das Heil notwendige Auslegung
in sich enthalten. In diesem Sinne wurde von den Rabbinen das
כל־הדברים in Ex. 20, 1 verstanden: „Alles" hat Gott dem Mose bereits gesagt, was als Exegese der Tora und als mündliche Überlieferung später tradiert wird.[6]

Von diesen Voraussetzungen her ist das Ergebnis der Exegese wie
das jeder Beschäftigung mit der Tora bestimmt. Jeder Satz und

[1] Vgl. Moore, Judaism, I S. 254 ff.
[2] Vgl. zur rabbinischen Exegese Seeligmann, Voraussetzungen der Midraschexegese,
V.T. Suppl. I, 1953, S. 150 ff.; Maass, Von den Ursprüngen der rabbinischen Schriftauslegung, ZThK 52, 1955, S. 129 ff. – Zu den Middot Hillels und Eliezers vgl. Strack,
Einleitung in Talmud und Midrasch, S. 96 ff.
[3] Vgl. z.B. Jes. 44 7, Mich. 6 8, Dan. 9 23; 10 21; 11 2.
[4] Bacher, Terminologie, S. 30.
[5] In diesen Zusammenhang gehört auch die Vermutung Bachers (Terminologie S.
101), nach der die Formel מדה בתורה, die im Midrasch Ismaels exegetische Regeln ein-
leitet, ebendiese Regel als „eine der Schrift inhärierende Eigenschaft" bezeichnet. Die
Middot wären dann überhaupt nicht das „Maß", mit dem die Schrift ausgelegt wird,
sondern Eigenschaften des Textes, aus denen sich die Auslegung methodisch und sachlich ergibt.
[6] Vgl. Strack-Billerbeck IV, S. 440.

damit jedes neue Gebot und jede einzelne Satzung, die aus der
Beschäftigung mit der Tora folgen, sind von gleicher Dignität wie
die Tora selbst. Sie sind Offenbarung.[1]

d. So sieht sich der Fromme umgeben von einer Fülle einzelner
Gebote, die ihm, jedes für sich, mit dem Anspruch göttlicher Offenbarung begegnen. Hatte der Gerechte zunächst sein Gottesverhältnis allein in seinem Verhältnis zur Tora, so zeigt sich jetzt, daß er
dieses Verhältnis zur Tora allein in seinem Verhältnis zum einzelnen Gebot hat. Es ist die einzige Aufgabe des Frommen, und eben-
darin hat er seine Gerechtigkeit, daß er das einzelne Gebot an
seinem jeweils einzelnen Ort befolgt.

„R. Meir sagte: du hast Niemand unter den Israeliten, der nicht täglich hundert
מצות übte: er rezitiert das Sch'ma und spricht die Lobsprüche vorher und
nachher, er ißt sein Brot und spricht den Lobspruch vorher und nachher, er
betet dreimal das Achtzehngebet und übt alle übrigen Gebote und spricht den
Lobspruch dazu. Ferner hat R. Meir gesagt: du hast Niemand unter den Israeliten, den nicht Gebote umgäben: die Gebetsriemen an seinem Kopf und an
seinem Arm, die Pfosteninschrift an seiner Tür und vier Schaufäden umgeben
ihn."[2]

Die Befolgung des einzelnen Gebotes je für sich macht den Gerechten aus. Das Gebot und das ihm entsprechende Handeln rücken
so eng zusammen, daß mit dem Begriff מצות beides zugleich beschrieben wird.[3] Und allein der Reichtum an Gebotserfüllungen, an
מצות, begründet die Gerechtigkeit und sichert dem Frommen das
Heil.[4]

2. *Das Geschichtsverständnis*

a. Es ist eine allgemein beobachtete Tatsache, daß es in der pharisäischen Orthodoxie keinerlei Geschichtsschreibung gegeben hat.

[1] Diese Charakteristik gilt für das Gesamtkorpus der mündlichen Lehre. Sie ist
grundsätzlich als Exegese zu verstehen: „Die mündliche Lehre hat im Fortschreiten
ihres Wachstums in immer gesteigertem Maße Materien in sich aufgenommen, die keine
unmittelbare Beziehung zur Schrift haben. Aber ihr eigentliches Wesen ist Schriftauslegung" (S. Kaatz, Die mündliche Lehre und ihr Dogma, I, S. 7). Solche Gebote und
Lehrsätze, deren Zusammenhang mit der Schrift nicht erweisbar ist, bleiben dadurch
im Bereich dieser Charakteristik, daß sie als הלכה למשה bezeichnet werden (vgl.
Kaatz a.a.O., S. 12: „Die Anerkennung der schriftlichen und mündlichen Thora als
einer göttlich-sinaitischen bildet nach talmudischer Lehre das fundamentale Dogma,
das grundlegende Formalprinzip des Judentums."). Außerhalb der Offenbarungsdignität stehen naturgemäß die lediglich prophylaktisch-verschärfenden und vorbeugenden
Anweisungen, die in schwierigen Fragen jede Gebotsübertretung unmöglich machen
sollten (vgl. z.B. die gegenüber der Tora verschärfenden Gebote über Verwandtenehen,
Strack-Billerbeck II, S. 729, vgl. I, S. 693ff.), sowie Schul- und Einzelmeinungen, die
keine allgemeine Anerkennung fanden.

[2] Tos. Berakot 7 24f. (17a). R. Meir um 150 n. Chr.

[3] Strack-Billerbeck III, S. 161.

[4] Strack-Billerbeck IV, S. 5ff.

Das gesamte rabbinische Schrifttum enthält auch nicht einen Abschnitt, der sich seiner Anlage und Absicht nach nur von ferne mit den Werken der – doch im spätjüdischen Raum bereits sehr weit entwickelten – Historiographie[1] vergleichen ließe.[2] Aber gerade auf diesem Hintergrund der so im Spätjudentum zur Entfaltung gekommenen Geschichtsschreibung erhebt sich die Frage nach den Gründen und der Bedeutung dieser Tatsache. Es mag zunächst einige äußere Gründe dafür geben. Ein Königshaus, für das eine Chronik im Sinne des I. Makkabäerbuches[3] geschrieben werden konnte, bestand nicht mehr. Und des Josephus Werk war das eines einzelnen, der deutlich der hellenistisch-römischen Tradition verbunden war und überdies persönliche Motive für seine Arbeit gehabt haben mochte.[4] Aber ein befriedigender Grund für das Fehlen jeder Geschichtsschreibung im Rabbinat liegt darin doch noch nicht. Die Frage muß also weiter gefaßt werden.

Dabei zeigt sich zunächst sehr bald, daß der Mangel einer Historiographie nicht gleichbedeutend ist mit einem mangelnden Interesse an der Vergangenheit. Gestalten und Ereignisse aus der Geschichte werden im rabbinischen Schrifttum nicht selten genannt, und zwar nicht nur solche aus der jüdischen Geschichte, sondern auch aus der anderer Völker. So ist selbstverständlich die Rede von Mose,[5] David,[6] Hiskia,[7] Esra[8] u.s.w., aber auch etwa von Alexander dem Großen[9] und Herodes.[10] Diese Namen erscheinen nun allerdings nicht im Rahmen eines zusammenhängenden historischen Berichtes, ja nur selten in der Beschreibung einer geschichtlichen Episode, und sehr häufig haben die Erzählungen sogar legendären Charakter. Aber das bedeutet keineswegs, daß nicht eine bestimmte Absicht mit diesen Erzählungen verbunden wäre; vielmehr läßt sich ihr – allerdings oft nicht ausgesprochener – Sinn sehr leicht erheben, und

---

[1] Das deutlichste Beispiel bietet hier Josephus.
[2] Bei dem spätrabbinischen chronikartigen Werk „Seder Olam Rabba"(dessen Datierung unsicher ist) handelt es sich um einen Midrasch zu den Geschichtsbüchern des Alten Testaments, der durch einen – wahrscheinlich späteren – Anhang im 30. Kapitel bis zum Jahre 135 n. Chr. fortgeführt wird. „Historiographisches Interesse" hat dieses Buch nicht, noch weniger scheint es von der apokalyptischen Frage nach der Geschichte berührt. – Die Chronik „Seder Olam Zutta", die dem erstgenannten Werk nachgebildet ist, entstammt dem Mittelalter.
[3] Vgl. zum I. Makkabäerbuch Bickermann, Gott der Makkabäer, S. 29.
[4] Vgl. zu Josephus Schürer, Geschichte, I S. 74ff.
[5] Gen. R. 100 (64c); Ex. R. 1 (67b) u.ö.
[6] Sifr. Dtn. 3 23 § 26 (70a); p. Sanh. 2 20b u.ö.
[7] Gen. R. 65 (41a) u.ö.
[8] b. Bab. Qam. 82a u.ö.
[9] Lev. R. 27 (125b) u.ö.
[10] b. Bab. B. 4a u.ö.

damit wiederum fällt ein deutliches Licht auf das dahinterstehende
Verständnis von Geschichte.

*b. „,...zwei gewöhnliche Menschen haben zwei Große des Geschlechtes ge-
segnet, und es hat sich an ihnen erfüllt. Und diese waren David und Daniel.
David, denn ihn hat Arauna gesegnet, wie geschrieben steht: Arauna sprach zum
König: Jahwe, dein Gott möge dir gnädig sein, 2. Sam. 24 23. Daniel, denn ihn
hat Darius gesegnet, wie geschrieben steht: Dein Gott, den du beständig verehrst,
möge dich erretten, Dan. 6 17.“*[1]

Ganz fraglos meinte der Erzähler hier nicht Legenden zu berichten, sondern für ihn hatten diese Episoden durchaus historischen
Charakter, schon weil sie kanonischen Schriften entnommen sind.
Aber die Tora wird hier andererseits auch nicht, wie sonst in der
Regel, als Subjekt von Aussprüchen zitiert, etwa mit der Einleitungsformel: אמרה תורה.[2] Es geht hier nicht darum, was die Tora
sagt, sondern was sie berichtet, also um historische Ereignisse. Und
zwar sind hier zwei Ereignisse miteinander verknüpft, die in der
Situation so verschieden wie nur irgend denkbar sind: Einmal der
König David im Gespräch mit dem ihm ergebenen Jebusiter über
den zu errichtenden Altar; zum anderen Daniel, der von dem heidnischen König soeben in die Löwengrube geworfen wurde. Aber in
beiden Ereignissen steht ein ihnen gemeinsamer Vorgang nach der
Auffassung des Erzählers im Mittelpunkt: Ein hervorragender
Frommer wird von einem in bezug auf seine religiöse Bedeutung
gewöhnlichen Menschen (הֶדְיוֹט = ἰδιώτης) gesegnet; und der jedem
Hörer bekannte Fortgang beider Episoden zeigt, daß dieser Segen
Erfolg hatte. Um dieser Gemeinsamkeit willen werden nicht nur
die Episoden verbunden, nur deshalb werden sie überhaupt er-
zählt. Es geht nicht um die berichteten Ereignisse selbst, es geht
vielmehr um das, was sie zeigen. Sie sind nichts anderes als Beispiele für ein bestimmtes Geschehen. Das ist in der Einleitung des
Abschnittes explizit formuliert. Der ganze Text lautet:

*„R. Eleazar hat gesagt, R. Chanina habe gesagt: Niemals sei der Segen eines
gewöhnlichen Menschen gering in deinen Augen. Denn siehe, zwei gewöhnliche
Menschen haben zwei Große des Geschlechts gesegnet...“*

Im Mittelpunkt steht allein der Satz, daß der Segen eines gewöhnlichen Menschen nicht gering zu achten sei. Dieser Satz wird
belegt, und zwar nicht direkt mit gleichsinnigen Lehrsätzen der
Tora, sondern mit in ihr berichteten historischen Ereignissen.
Dazu zunächst noch ein Beispiel.

[1] b. Meg. 15a. R. Chanina um 225.
[2] z.B. Pea 8 9; Taanit 3 8 u.ö. Bacher, Terminologie, S. 5.

„Abaje hat gesagt: Es ist traditionelle Lehre: Ein Guter wird kein Schlechter. Nicht? Aber es steht doch geschrieben: Wenn der Gerechte von seiner Gerechtigkeit sich abwendet und Schlechtigkeit vollbringt, Ez. 18 26. Das ist einer, der von Haus aus ein Gottloser war. Aber auf einen, der von Haus aus ein Gerechter war, trifft das nicht zu. Nicht? Aber wir haben doch gelernt: Vertraue nicht auf dich selbst bis zu deinem Todestag.[1] Denn siehe, Jochanan, der Hohepriester,[2] hat im Hohenpriesteramt 80 Jahre lang gedient, und zuletzt wurde er ein Häretiker."[3]

Das Thema des Abschnittes ist die Frage, ob ein Gerechter seiner Gerechtigkeit sicher sein kann. Sie wird in Übereinstimmung mit alter Tradition verneint. Zum Beweis wird wieder ein Ereignis aus der Geschichte angeführt, und zwar sachlich gegen eine Schriftstelle, deren Sinn vorher in bestimmter Weise beschränkt wurde. Wichtig ist hier, daß das zitierte Ereignis[4] nicht zur biblischen Geschichte gehört. Seine Beweiskraft liegt allein in seinem Charakter als historischem Geschehen.

Diese Beispiele, die sich leicht vermehren ließen,[5] weisen deutlich auf ein bestimmtes Schema hin, das ihnen zugrunde liegt. Das jeweils zitierte Ereignis zeigt, was früher geschehen ist. Was aber früher geschehen ist, das geschieht auch noch heute. In diesem Satz liegt die Voraussetzung, die ein solches Umgehen mit den Ereignissen der Vergangenheit allererst ermöglicht. Das Geschehen innerhalb eines geschichtlichen Ereignisses ist prinzipiell zu jeder anderen Zeit auch möglich: wie bei David so bei Daniel, und also auch heute. Und das, was sich aus solchem Ereignis als Lehre ergibt, hat den Charakter einer unveränderlichen Wahrheit. Ein solcher Satz gilt immer und in jeder Situation. Darin zeigt sich, daß es für das rabbinische Verständnis einen historischen Abstand, eine geschichtliche Veränderung nicht gibt. „Die Möglichkeit einer geschichtlichen Entwicklung ist den Rabbinen nie in den Sinn gekommen."[6] Dieses Verständnis, nach dem es zwischen den einzelnen geschichtlichen Situationen keine grundsätzlichen Unterschiede gibt, hat seine Folgen auch für den umgekehrten Fall. Die gegenwärtigen Verhältnisse werden ohne weiteres in die Vergangenheit übertragen. So ist Mose nichts anderes als ein schriftgelehrter Rabbi, Alexander der Große diskutiert mit den Weisen[7], und

---

[1] Offenbar ein Zitat aus Aboth 2 4: „Hillel hat gesagt: Vertraue nicht auf dich selbst bis zu deinem Todestag."

[2] Es handelt sich um Johannes Hyrkanus.

[3] b. Berak. 29a. Abaje etwa 280–339 n. Chr.

[4] Gemeint sind wahrscheinlich die Auseinandersetzungen zwischen Joh. Hyrkanus und den Pharisäern, vgl. Noth, Geschichte Israels, S. 347.

[5] Vgl. Gaster, The exempla of the Rabbis, London 1924, besonders S. 51 ff.

[6] K. G. Kuhn, Entstehung des talmudischen Denkens, S. 69.

[7] Strack-Billerbeck I, S. 587 f. u.ö.

zwischen Vespasian und Nebukadnezar gibt es keinen Unterschied.[1]

Ebenso deutlich zeigen die Texte, daß von diesen Voraussetzungen her die Gegenwart ihr eigentliches Thema ist. Es geht nirgends um eine Beschäftigung mit der Vergangenheit etwa um ihrer selbst willen oder auch nur zum Zweck einer genaueren Erkenntnis. Im Mittelpunkt steht überall ein Satz oder eine Frage in ihrer Bedeutung für die, die sich jetzt damit beschäftigen. Und für sie sind geschichtliche Ereignisse nichts anderes als eine Sammlung von Beispielen, aus denen es Lehren für die Gegenwart zu erheben gilt. Die Geschichte selbst ist damit verstanden als eine Kette einzelner Situationen. Jede dieser Situationen kann für sich genommen werden und ein solches Beispiel abgeben; denn keine ist von der anderen ihrem Wesen nach verschieden. Es ist ohne weiteres einleuchtend, daß von einem solchen Geschichtsverständnis her keine Historiographie möglich war.[2]

c. Immer unter der Voraussetzung, daß am geschichtlichen Ereignis seine Bedeutung für die Gegenwart deutlich wird, kommt es in der rabbinischen Literatur nun auch häufig zu Beurteilungen einzelner geschichtlicher Gestalten. Diese Beurteilungen ruhen ganz und gar auf dem traditionellen Schema von Sünde und Strafe. So wird der Tod Moses und Aarons auf ihre Sünde zurückgeführt, auf die Num. 20 12 hinweisen soll: „Darum, daß ihr nicht an mich geglaubt habt. Siehe, wenn ihr an mich geglaubt hättet, so wäre eure Zeit, von der Welt zu scheiden, noch nicht gekommen."[3] In diesen Zusammenhang gehört ferner der Abschnitt aus dem Mischna-Traktat Sanhedrin (10 1ff)[4], in dem die Frage verhandelt wird, wer an der künftigen Welt teil hat und wer nicht. Danach sind die Sodomiten und das Flutgeschlecht der Strafe verfallen; aber auch Jero-

---

[1] Strack-Billerbeck II, S. 771.

[2] „Die Tannaiten ziehen die Geschichte grundsätzlich zur Beantwortung der sich aus der Gegenwart ergebenden Fragen heran", Glatzer, Untersuchungen zur Geschichtslehre der Tannaiten, S. 23. – Diese Arbeit ist m.W. die einzige, die sich thematisch mit dieser Frage befaßt. Glatzers Ausgangspunkt bildet die gewiß richtige Beobachtung des wesentlichen Unterschiedes zwischen dem Geschichtsverständnis des IV. Esra und dem der Tannaiten (S. 14ff.). Er bezeichnet die Apokalyptik als „geschichtsverneinend", die Tannaiten als „geschichtsbejahend," was sachlich nichts weiter als das Urteil über Vergangenes bezeichnet (vgl. besonders S. 23). Weiterhin meint er, aus Aussagen über die Schöpfung die Vorstellung eines göttlichen Geschichtsplanes erheben zu können, was die Texte geradezu auf den Kopf stellt (vgl. S. 110–115), und was ihn zu der Konsequenz nötigt, zwischen „planhellen" und „plandunklen" Zeiten der Geschichte unterscheiden zu müssen (vgl. besonders S. 35). Abgesehen von diesem nicht überzeugenden und den Texten deutlich aufgezwungenen Schema finden sich jedoch so viele richtige Beobachtungen, daß es befremdend bleibt, wie Glatzer die gerade von daher notwendigen Ergebnisse unbeachtet läßt.

[3] Strack-Billerbeck I, S. 495.

[4] Strack-Billerbeck IV, S. 1053f.

beam und Ahab und das Wüstengeschlecht, und zwar unbeschadet der Einleitung, nach der „ganz Israel" Anteil an der künftigen Welt habe (101). Die Verwerfung wird im einzelnen mit Schriftstellen belegt. Aber im ganzen entsteht keineswegs das Bild einer – sei es auch von einem bestimmten Schema her betrachteten – Geschichte Israels. Die Ereignisse und Gestalten stehen ungeordnet und eklektisch nebeneinander. In Vers 1 sind einzelne Sünden genannt, die vom Heil ausschließen. Es folgt die Beschreibung Jerobeams und anderer, dann das Flutgeschlecht, die Sodomiten, die Wüstengeneration.[1] Aber gerade darin zeigt sich wieder das zugrundeliegende Geschichtsverständnis: Eben weil die Geschichte nur das Nebeneinander einzelner Situationen ist, kann es eine historische Ordnung nicht geben. Es kann nur jede dieser Situationen für sich in den Blick kommen.

d. Dieses Geschichtsverständnis bedingt nun keineswegs den Ausschluß einer Eschatologie. Das Rabbinat hat im Gegenteil schon sehr früh die Vorstellung einer „künftigen Welt" (עולם הבא) aufgenommen.[2] Sie steht „dieser Welt" (עולם הזה) gegenüber.[3] Die vielfältigen und oft auch unterschiedlichen Angaben über die „Tage des Messias" (ימות המשיח) und ihre Stellung zwischen den beiden עולמים[4] sind für unseren Zusammenhang ohne große Bedeutung. Wichtiger ist hier die Frage nach der Struktur der künftigen Welt in ihrem Verhältnis zur jetzigen.[5]

Die „künftige Welt" als „Schlußäon der Menscheitsgeschichte"[6] ist ihrem Wesen nach dadurch bestimmt, daß sie unwandelbar ist. Es gibt in ihr „nicht Essen und Trinken, nicht Zeugung und Fortpflanzung, nicht Handel noch Wandel, nicht Neid noch Feind-

---

[1] Dieses Bild einer – für historische Betrachtung – völligen Unordnung bleibt auch unter der Voraussetzung, daß hier nicht ein schriftlicher Text, sondern ein mündlicher Vortrag wiedergegeben ist. Vgl. dazu Guttmann, Zur Entstehung des Talmuds, S. 43ff.

[2] Vgl. Aboth 2 7: „Wer sich Worte der Tora erworben hat, hat sich das Leben der zukünftigen Welt erworben," ein Ausspruch Hillels, etwa 20 v. Chr.

[3] Strack-Billerbeck IV, S. 815ff.

[4] Strack-Billerbeck IV, S. 857ff.

[5] Strack-Billerbeck unterstellen dem Begriff עולם הבא nicht nur die Bedeutung des eschatologischen Äons und der messianischen Zeit, sondern dazu noch die der „Welt der Seelen", einer oberen Welt, die bereits jetzt existieren soll (vgl. besonders IV S. 819ff.). Für die rabbinische Literatur ist diese Konstruktion schlechterdings falsch. Die Belege für diese Vorstellung stammen ausschließlich aus der Apokalyptik, wie sie gerade bei Strack-Billerbeck IV, S. 1118ff. zusammengestellt sind. Die rabbinischen Aussagen selbst bezeugen dagegen an keiner Stelle die Vorstellung einer „Welt der Seelen"; ein solcher Sinn wird von Strack-Billerbeck willkürlich eingetragen (vgl. z.B. IV, S. 832f.). – Das Mißverständnis, das zu dieser Konstruktion führt, liegt darin, daß die apokalyptische und die rabbinische Literatur unkritisch als sachliche und theologische Einheit angesehen werden. Vgl. dagegen Glatzer, Geschichtslehre, S. 14ff.

[6] Strack-Billerbeck IV, S. 968.

schaft, noch Streit."[1] Der kommende Olam ist ein ständiger Sabbat.[2] Und eben in dieser seiner Unwandelbarkeit und Beständigkeit liegt der eigentliche Gegensatz zu dieser Welt. Lag nach dem oben Ausgeführten das Wesen der jetzigen Welt und ihrer Geschichte gerade darin, daß sie aus der Folge einer Vielzahl von einzelnen Situationen bestand, so ist von daher der kommende Olam als nur eine in sich geschlossene und ständig gleiche Situation zu verstehen. In ihrer beständigen Einheit ist die künftige Welt zugleich das Ende aller einzelnen Episoden der Geschichte.

Die Teilhabe an dieser künftigen Welt ist das eigentliche Heilsgut, das der Fromme durch seine Gerechtigkeit zu erwerben hofft.[3] Und gerade für diesen Charakter des Heilsgutes gewinnt der Gegensatz der künftigen Welt zu dieser entscheidende Bedeutung: das Ende des ständigen Wechsels der geschichtlichen Situationen ist für den Frommen zugleich das Ende der ständigen Notwendigkeit, sich in der Gebotserfüllung zu bewähren. In der beständigen Einheit und Gleichförmigkeit des עולם הבא ist er gerade all dem enthoben, was ihn in dieser Welt immer wieder neu fordert.

e. Es ist nun eine nicht zu übergehende Beobachtung, daß die traditionellen sog. „heilsgeschichtlichen" Begriffe und Vorstellungen diese Konzeption von Geschichte, wie sie sich bisher ergeben hat, keineswegs sprengen. Sie ordnen sich vielmehr im Rahmen einer sehr konsequenten Interpretation gerade in dieses Geschichtsbild ein.

Für den neutestamentlichen Begriff ἐπαγγελία findet sich im rabbinischen Schrifttum הבטחה als annähernde Parallele.[4] Von der Grundbedeutung „Vertrauen, Zuversicht" aus hat dieser Begriff eine zentrale Stellung in zwei voneinander deutlich zu unterscheidenden Zusammenhängen:

1. In meist verbaler Form (מבטח, הבטיח) bezeichnet der Begriff das Vertrauen darauf („sich versichert halten"), daß man in den kommenden Äon eingehen werde:[5]

„In der Schule des Elias ist gelehrt worden: wer Halakha studiert, der darf sich versichert halten (מבטח לו), daß er ein Sohn der zukünftigen Welt sein wird."[6]

---

[1] b. Berak. 17a, Strack-Billerbeck IV, S. 839.
[2] Strack-Billerbeck ebd.
[3] Vgl. z. B. Aboth 4 16, wo diese Welt mit einem Vorzimmer vor dem Speisesaal verglichen wird. Strack-Billerbeck IV, S. 840f.
[4] Eine alttestamentliche Vorgeschichte gibt es für diesen Begriff nicht, vgl. ThWB II, S. 575 (Schniewind, Friedrich) und Strack-Billerbeck III, S. 206.
[5] Vgl. ThWB a.a.O.
[6] Meg. 28b, vgl. Berakh. 4b, Strack-Billerbeck III, S. 208f.

Zwar ist nach der subjektiven Seite hin auch für den Gerechten diese Sicherheit niemals vollständig: Jakob fürchtete sich trotz der Zusage Gottes, und selbst David war seines Heils ungewiß;[1] aber das hat seinen Grund gerade in der absoluten und unbedingten Sicherheit, mit der Gott seiner Verheißung entsprechend in der Zukunft Lohn und Strafe den Verdiensten gemäß auszahlen wird. Sicher kann also das Vertrauen auf die Verheißung des gerechten Gerichts sein, unsicher bleibt das Vertrauen auf die eigene Gerechtigkeit.

2. Neben dieser Anwendung des Begriffs auf das eschatologische Gericht werden durch ihn ebenfalls die Zusagen Gottes an die Väter bezeichnet. Der für unseren Zusammenhang entscheidende Punkt wird in folgender Darstellung der Abraham-Verheißung deutlich:

„Werden wird die Zahl der Kinder Israel wie der Sand des Meeres. Hos. 2 1. Das ist es, was geschrieben steht: In Ewigkeit, Jahwe, steht dein Wort im Himmel fest, Ps. 119 89; denn Gott hatte dem Abraham eine Verheißung (Zusicherung) gegeben הבטיח את אברהם und jene Verheißung הבטחה kam (= ging in Erfüllung) in der Stunde, da die Israeliten aus Ägypten zogen…"[2]

Die Verheißung ist an Abraham gegeben. Aber: ihre Erfüllung steht nicht mehr aus! Dasselbe gilt für die weiteren Empfänger von Verheißungen, für Jakob, Sara und David.

„Gott sprach zu ihm (nämlich Jakob): längst habe ich die Verheißung, die ich eurem Vater Abraham gegeben habe, ausgeführt, denn es heißt: und er machte das Meer zu Trockenem, Ex. 14 21;"
(Sara spricht:) „Und was er mir verheißen hat, hat er sofort getan: Und Jahwe suchte Sara heim, Gen. 211."[3]

Solche Verheißungen, die einen bestimmten und konkreten Inhalt haben, stehen also nicht mehr aus. Sie sind in jener Zeit, die als Zeit der Väter und damit als Zeit ergehender Verheißungen charakterisiert ist, schon und offenbar endgültig erfüllt: „Was er verheißen hat, hat er getan."[4] Die Zeit der Väter ist durch diese Merkmale vor aller übrigen Zeit ausgezeichnet, es ist eine besondere Zeit. Daß in dieser Zeit die Verheißungen bereits erfüllt wurden, schafft zwar nicht erst diese Besonderheit, gehört aber folgerichtig hinzu. Es ist die Urzeit oder Vorzeit, eine Heilszeit, die von der Erschaffung der Welt bis zur Tora-Offenbarung auf dem Sinai reicht. Sie steht als einzelne und besondere Epoche vor dem Beginn der Geschichte. Daß in dieser Epoche die Verheißungen erfüllt

---

[1] Gen. R. 76 (49a), Berakh. 4a, Strack-Billerbeck a.a.O.
[2] Num. R. 2 (137c), Strack-Billerbeck III, S. 207.
[3] Mekh. Ex. 1415 (35a); Pesiq. R. 42 (178a); Strack-Billerbeck III, S. 207f., dort weitere Beispiele.
[4] Scheb. 35b, Strack-Billerbeck III, S. 208.

sind, bedeutet, daß diese Verheißungen eben nicht „geschichtliche", in der Geschichte geltende, noch offene, auf ihre geschichtliche oder künftige Erfüllung hin angelegte sind; Verheißungen als
in der Väterzeit schon erfüllte Verheißungen sind „ungeschicht-
lich" und greifen nicht mehr in den Gang der Geschichte von Situation zu Situation ein.[1]

Es gehört unverkennbar in diesen Zusammenhang, wie die Ver-
bundenheit Israels mit den Vätern interpretiert wird: sie hat ihren
Grund nicht in an die Väter ergangenen, jetzt noch offenen und an
Israel in Erfüllung gehenden Verheißungen, sondern in den Verdiensten der Väter, die für Israel angerechnet werden:

> „Wie der Weinstock auf trockene Hölzer sich stützt, während er selbst frisch
> ist, so stützen sich die Israeliten auf das Verdienst ihrer Väter, obgleich diese
> schlafen."[2]

Eine „heilsgeschichtliche", überhaupt eine geschichtliche Vorstellung ist mit der Erinnerung an die Väter nicht verbunden. Das
Schema eines „thesaurus meritorum" schafft vielmehr eine unmittelbare, durch keine Geschichte vermittelte Verbindung zwischen den Vätern und jeder einzelnen der aufeinander folgenden
Situationen.

Unter „Bund" ist ausschließlich das Gesetz verstanden: „Es gibt
keine Berith außer dem Gesetze."[3] Freilich ist in diesem Bund eine
Vielzahl von Bündnissen enthalten gedacht: nicht allein der
Abraham- und Noahbund, sondern auch mehrere Bündnisse mit
Israel im Ganzen, ja selbst jedes Einzelgebot kann als besonderer
„Bund" verstanden sein.[4] Eine außerordentliche Sonderstellung in
dieser Reihe der Bündnisse kommt indessen der Beschneidung zu.[5]
Sie ist zugleich Bedingung und Zeichen des Abrahambundes,[6] d.h.
durch sie hat Israel einst das heilige Land erlangt, hat es Gott zu
seinem Schutzherren[7] und wird es vor der Gehinnom bewahrt.[8] Die
Unveränderlichkeit und geschichtslose Unwandelbarkeit des Bun-
desgedankens kann kaum deutlicher als in diesem Verständnis der

---

[1] Deshalb bildet *dieser* Begriff von „Verheißung" schwerlich den religionsgeschichtlichen Hintergrund etwa von Rö. 9 4.
[2] Lev. R. 36 (133b), Strack-Billerbeck I, S. 117. – „Ein Jude hat bei der Erwähnung
der Väter vor allem an deren Verdienst gedacht, das ihren Nachkommen beisteht"
Strack-Billerbeck III, S. 263; vgl. ferner ThWB V, S. 976f. (Schrenk).
[3] Mekh. Ex. 12 6, vgl. ThWB II, S. 131 (Behm).
[4] Vgl. ThWB ebd.
[5] Der Anspruch des Beschneidungsgebotes verdrängt den anderer Gebote, vgl. Strack-
Billerbeck IV, S. 38.
[6] Vgl. Strack-Billerbeck IV, S. 31; ThWB VI, S. 80 (R. Meyer).
[7] Vgl. Strack-Billerbeck IV, S. 37.
[8] Gen. R. 48 (30a), Strack-Billerbeck IV, S. 1066.

Beschneidung ausgesprochen werden. Jedoch wird dieses starre Schema dort in Frage gestellt, wo neben der menschlichen auch die göttliche Seite des Bundes in den Blick kommt: die Treue Gottes zu seinem Bund erweist sich offenbar nur in einer dem Menschen kontingenten Geschichte.[1] Das aber ist nicht das eigentliche Thema der Reflexion und nicht das Zentrum der theologischen Aussagen über Bund und Beschneidung; hier bleibt die eigentümlich geschichtslose Vorstellung von der Geschichte uneingeschränkt bewahrt.

3. *Ergebnisse*

Schon ein erster Vergleich zwischen dem Gesetzesverständnis und der Geschichtsvorstellung zeigt, daß hier auffallende Entsprechungen vorliegen. Das Gesetz wird zugänglich und faßbar nur in der Gestalt seiner einzelnen Gebote; die Geschichte ist allein verstanden und interpretiert als Kette einzelner Episoden und Situationen. Aber es ist nun zu fragen, ob und in welcher Weise hier über eine formale Entsprechung hinaus begründende und notwendige Beziehungen bestehen.

Für das Geschichtsverständnis hatte sich ergeben, daß das Rabbinat die Geschichte nicht als Einheit verstehen konnte. Es fehlt jeder Ansatz zu einem geschlossenen Geschichtsbild, zu einem heilsgeschichtlichen Entwurf, der das Ganze der Geschichte umfaßte und ihre Kontinuität garantierte. Vielmehr ist das, was als Geschichte in den Blick kommt, immer schon zerfallen in die Vielzahl einzelner Situationen, die ihrem Wesen nach nicht voneinander verschieden sind. Das hat zugleich zur Folge, daß die Vorstellung eines geschichtlichen Fortschrittes nicht aufkommen kann. Ihrer Struktur nach sind alle Zeiten und historischen Episoden, so unterschiedlich die äußeren Umstände sein mögen, untereinander gleich.[2]

---

[1] Midr. Esth. 4 15 (98a) sagt Mardochai in einem Gebet: „Erkennen soll dieser Reizer zum Zorn (Hamann), daß du die Verheißung, die du uns (den Israeliten!) gegeben hast, nicht vergessen hast: Aber auch dann, während sie im Lande ihrer Feinde sind, verwerfe ich sie nicht und verabscheue sie nicht, so daß ich sie aufriebe, meinen Bund mit ihnen bräche; denn ich bin Jahwe, ihr Gott, Lev. 26 44." Strack-Billerbeck III, S. 207.

[2] Diese prinzipielle Gleichheit aller geschichtlichen Situationen findet besonders deutlichen Ausdruck in der „Traditionsreihe" Aboth I–IV. Hier ist aufgezählt, welche Schriftgelehrten als Glieder der Überlieferungskette die Tora von Mose bis Rabbi (Jehuda Hanasi) weitergeleitet haben. Es ist die Regel, daß zu der stereotypen Notiz: „Rabbi A und Rabbi B erhielten (die Tora) von ihm (sc. dem letztgenannten Rabbi C)" Aussprüche dieser Gelehrten zitiert werden. Sinn dieser Aufzählung ist vor allem der Nachweis, daß die mosaische Tora unangetastet und unverändert auch heute vorliegt. Alle äußeren historischen Umstände bleiben dabei völlig außer Betracht. Jedes Glied der Kette ist dem anderen formal und oft genug inhaltlich zum Verwechseln ähnlich. Die Tora und die Situation ihrer Bewahrer haben seit dem Sinai keine Veränderung erfahren.

In jeweils einer solchen Situation steht der Fromme, für dessen Gottesverhältnis alles darauf ankommt, sich in ebendieser Situation zu bewähren. Und eine solche Bewährung ist im Blick auf die Tora als einzige Offenbarung Gottes nicht anders möglich denn als Befolgung ihrer Gebote. In der Summe dieser Gebotsbefolgungen innerhalb einer geschichtlichen Situation liegt die Gerechtigkeit des Frommen. Aber der einmalige Gehorsam reicht niemals zu. Jede neue Situation fordert neuen Gehorsam. Sofern aber ebendiese Situationen, in die der einzelne Gerechte wie das Volk insgesamt sich jeweils gestellt sieht, nicht ihrem Wesen nach voneinander geschieden sind, gelten auch überall die gleichen Gebote. Jeder Fromme hat zu jeder Zeit dasselbe Gebot zu erfüllen: was für David und Daniel galt, gilt in gleicher Weise heute, ja, es galt ebenso schon für Abraham.[1] Es gibt keine geschichtliche Veränderung und also auch keine Veränderung im Gesetz.

Von diesen Voraussetzungen her wurde im Rabbinat jede – faktisch ja nun doch immer neue und oft radikal veränderte – Situation verstanden. Aber das heißt nicht, daß die Veränderungen, die Andersartigkeit und das Neue in den jeweils wechselnden Zeitabschnitten geleugnet werden. Sie werden vielmehr in bestimmter Weise interpretiert. Und zwar liegt das Prinzip dieser Interpretation in der Voraussetzung, daß keine Veränderung jemals das Wesentliche trifft. Ihrer Struktur nach bleiben alle Situationen untereinander gleich. Die Veränderung und der Wechsel betreffen allein Akzidentelles. Deshalb bleibt auch die Tora immer dieselbe, und sie unterliegt keiner Veränderung. Was vom jeweils anderen der neuen Situation her im Blick auf die Tora notwendig wird, ist nichts als ihre Auslegung. Aber diese Auslegung bringt nicht etwa Neues zum Gesetz hinzu, sie entfaltet allein das immer schon in der Tora Gegebene. Ein Wandel, der das Wesen der geschichtlichen Situation beträfe und sie damit dem Geltungs- und Wirkungsbereich der Tora entzöge, ist nicht denkbar. Ein Beispiel, das für viele stehen möge, läßt diese Voraussetzungen besonders deutlich erkennen:

„Einmal ging R. Jochanan b. Zakkai aus Jerusalem heraus, und es ging R. Josua hinter ihm, und er sah das Heiligtum, wie es zerstört war. Es sagte R. Josua: Wehe uns, weil der Ort zerstört ist, an welchem sie die Sünden Israels versöhnten. Er sagte ihm: Mein Sohn, es tue dir nicht leid. Wir haben eine Versöhnung, welche wie dies ist, und welche ist es? Das ist die Wohltätigkeit, weil gesagt ist: denn ich will Güte und nicht Opfer (Hos. 6 6).“[2]

[1] Vgl. dazu unten S. 33.
[2] Aboth R. Nathan 4. – Zitiert nach Schlatter, Rabbi Jochanan ben Zakkai, S. 39. Vgl. Strack-Billerbeck IV, S. 555.

Die Episode spielt kurz nach der Zerstörung des Tempels.[1] Ihr Thema ist die Frage, ob etwa dadurch die כפרה hinfällig geworden sei, – eingeleitet durch den Hinweis des Schülers. Die Antwort ist eindeutig: der Sache nach steht die Versöhnung niemals in Frage; denn die Tora umgreift auch für diesen Einzelpunkt jede Situation. Ist auch die traditionelle Sühneinstitution unmöglich geworden, so tritt – aber ohne jede sachliche Veränderung – eine andere an ihre Stelle, und zwar in vollem Umfang durch ein Schriftwort begründet.[2] Dabei geht es keineswegs darum, daß etwa der Liebestätigkeit eine besonders exponierte Stellung im religiösen Leben zugewiesen wird. Der Bestand der כפרה steht im Vordergrund, nicht der betonte Hinweis auf die גמילות הסדים, denn wie andere Stellen zeigen, ist diese durchaus auswechselbar: auch das Torastudium kann an die Stelle der Opfer treten.[3] Aber – und das ist für unseren Zusammenhang wichtig – eine solche Interpretation ist nur dann möglich, wenn gerade das, was die Situation so radikal verändert hat, als nicht wesentlich verstanden wird. Die Zerstörung des Tempels bedeutet offenbar nichts für die Sache, der er diente. Und in bezug auf diese Sache, die כפרה, ist die Situation Israels vor und nach der Zerstörung des Tempels völlig gleich. Das Neue und andere zeigt sich lediglich darin, daß eine auslegende Entfaltung der Tora notwendig wurde, – freilich unter der Voraussetzung, daß auch dabei Schrift und Auslegung in gleicher Weise sinaitischen Ursprungs sind.[4]

Damit zeigt sich, daß es gerade die Voraussetzung der prinzipiellen Gleichheit aller geschichtlichen Situationen ist, die die spezifisch rabbinische Entfaltung der Tora fordert. Indem diese Entfaltung jeweils zur verbindlichen Überlieferung wird, vollzieht sich das Wachstum der rabbinischen Tradition.[5] Die Interpretation der Tora geschieht im Horizont des Geschichtsverständnisses, und von daher ergeben sich alle weiteren Bestimmungen sowohl für das

---

[1] R. Jochanan b. Zakkai bis 80 n. Chr.
[2] Vgl. dagegen, wie anders Hos. 6 6 im Matthäusevangelium verstanden wird, G. Bornkamm, Enderwartung und Kirche im Matthäusevangelium, S. 234f.
[3] Strack-Billerbeck III, S. 123, S. 153, S. 607.
[4] Vgl. Strack-Billerbeck IV, S. 446ff. und oben S. 15f.
[5] Ein solcher Prozeß ist freilich nicht unbegrenzt möglich. Es kommt bald der Zeitpunkt, an dem die Masse gerade der aus der Entfaltung entstandenen Tradition zur Gegenwart beziehungslos bleibt und auch nicht mehr interpretiert werden kann. Ein deutliches Beispiel bilden hier die mit dem Kult verbundenen Überlieferungskomplexe. Die Tradition erstarrt, und die Auslegung wird zur „formal-logischen Virtuosität" (Kuhn, Entstehung des talmudischen Denkens, S. 80). Den Schlußpunkt dieser Entwicklung bezeichnet der Abschluß des Talmud, der – in letzter Konsequenz – eigentlich niemals abgeschlossen sein dürfte.

Wesen der Tora wie für das des Menschen. Das soll im Folgenden noch an einigen Beispielen verdeutlicht werden.

a. Es wurde oben darauf hingewiesen, daß die am Sinai gegebene Tora in dem Sinne „vollständig" ist, daß unter keinen Umständen jemals etwas grundsätzlich Neues zu ihr hinzutreten muß oder auch nur kann. In ihrer legitimen Entfaltung umgreift sie jede geschichtliche Veränderung mit, wobei freilich eine solche Veränderung niemals die grundsätzliche Struktur der geschichtlichen Situationen betrifft. Die sinaitische Tora enthält demnach alles, was jemals an geschichtlicher Wandlung in den Blick kommen kann, schon immer in sich, für jede Situation ist alle notwendige Auslegung schon von ihrem Ursprung her in ihr angelegt. Dies findet deutlichen Ausdruck in den Sätzen, die die Tora als „Baumeister" oder „Werkzeug" der Schöpfung bezeichnen.[1] Ebenso wie der Baumeister in den Bauplan sieht, so „hat Gott in die Tora geblickt und die Welt geschaffen".[2] Indem die Tora als „Bauplan" und „Gerät"[3] der Schöpfung verstanden wird, ist garantiert, daß jede geschichtliche Situation von ihr umfaßt wird, weil so jede Veränderung in der Geschichte von ihrem Ursprung in der Schöpfung her durch die Tora selbst festgelegt ist. Aber damit ist zugleich ausgesprochen, daß die Tora eine prinzipiell ungeschichtliche Größe ist. Sie ist ihrem Wesen nach grundsätzlich von allen anderen Werken der Schöpfung verschieden. So ist die Tora der „Erstling" der Schöpfung vor allem übrigen,[4] und im Gleichnis entspricht sie der „Tochter Gottes".[5] Dadurch wird nun von vornherein jede Möglichkeit einer geschichtlichen Veränderung der Tora ausgeschlossen. Vom zugrundeliegenden Geschichtsverständnis her ist dieser Schritt nichts anderes als eine notwendige Konsequenz.

b. Das rabbinische Geschichtsverständnis hatte für den Frommen die Folge, daß für ihn alles darauf ankommt, sich jeweils in seiner Situation zu bewähren. Sein Gottesverhältnis ist allein bestimmt durch den Gebotsgehorsam, der in jeder neuen Situation wieder neu gefordert ist. Von diesen Voraussetzungen her wurde bereits früh die Theorie der Anrechnung der Gebotserfüllungen ausgebildet.[6] Die einzelne Gebotserfüllung bringt dem Frommen ein Ver-

---

[1] Vgl. Strack-Billerbeck I, S. 732 u.ö.; Gutbrod, ThWB IV, S. 1049.
[2] Gen. R. 1; Strack-Billerbeck II, S. 356.
[3] Aboth 3 14; Strack-Billerbeck III, S. 132.
[4] Vgl. Strack-Billerbeck II, S. 354ff.
[5] Ebd. S. 355f.
[6] Ausführliche Darstellung bei Strack-Billerbeck IV, S. 4ff. Vgl. dazu Heidland, Die Anrechnung des Glaubens zur Gerechtigkeit, 1936; Pesch, Der Lohngedanke in der Lehre Jesu, verglichen mit der religiösen Lohnlehre des Spätjudentums, 1955.

dienst (זכות) ein, jede Übertretung eine Schuld (חובה). An der Aufrechnung beider entscheidet sich seine Heilsteilnahme.[1] Von Schritt
zu Schritt steht der Fromme sein ganzes Leben hindurch vor dieser
Forderung, und in jeder Situation entsteht immer wieder die Frage
nach dem Überwiegen von Verdienst oder Schuld. Dabei kann für
ihn, dem Verständnis der Geschichte entsprechend, keine Situation
von der anderen unterschieden sein. Es gelten immer wieder dieselben Gebote, und auch deren weitere Entfaltung schafft für ihn
nichts prinzipiell Neues. Daher gilt eine Gebotserfüllung wie die
andere, auch wenn er die Zahl seiner מצות durch מעשים טובים zu vermehren sucht.[2] Eine der bedeutsamsten Konsequenzen aus dieser
Theorie ist die, daß es für den Frommen niemals eine Heilsgewißheit gibt. Es hat niemand Einblick in den von Situation zu Situation
schwankenden Stand seiner Aufrechnung, der ihn bei seinem Tode
entweder dem Paradies oder der Hölle zuweist.

Wie das Geschichtsverständnis diese Theorie für die Gegenwart
begründen konnte, so ermöglicht es auch, die Vergangenheit unter
dem gleichen Schema zu beurteilen. Aus der beständigen Gleichheit geschichtlicher Situationen folgt, daß die Früheren unter denselben Bedingungen standen wie die Heutigen. So hatte schon
Abraham seine Gerechtigkeit darin, daß er die ganze Tora gehalten
hat, ebenso wie Mose, Aaron und Hiskia.[3] Und für Elias ist zu fol-
gern, daß er nur deshalb ewig lebt, weil er nie gesündigt hat.[4] Vom
gleichen Schema her gilt, daß andere Gestalten und Geschlechter
der Vergangenheit um ihrer Sünde willen der Strafe verfallen sind.[5]

Auf dem Hintergrund dieser Theorie ist offenbar auch die im
Rabbinat sehr gewichtige Interpretation des Leidens erwachsen.[6]
Das Leiden trifft niemals schuldlos den Gerechten, vielmehr leidet
auch der Fromme um seiner Sünden willen. Und dieses Leiden
schafft ihm eine Minderung seiner Schuld,[7] es gehört also direkt in
die Theorie der Anrechnung hinein.

Die wenigen Beispiele zeigen deutlich, wie die Grundzüge der
rabbinischen Anthropologie vom Geschichtsverständnis und von
der daher bestimmten Interpretation der Tora geprägt sind. Das
Bild und die Interpretation der Geschichte erweist sich so als der
Schlüssel für das Verständnis des rabbinischen Denkens überhaupt.

[1] Vgl. G. Bornkamm, Der Lohngedanke im Neuen Testament, Ev. Theol. 6, 1946/47,
S. 150f. Jetzt in: Studien zu Antike und Urchristentum, bes. S. 75ff.
[2] Vgl. Strack-Billerbeck IV, S. 6.
[3] Strack-Billerbeck I, S. 814.
[4] ebd.
[5] Vgl. Strack-Billerbeck IV, S. 1053f.
[6] Vgl. dazu unten S. 91f. Strack-Billerbeck II, S. 274f.   [7] ebd.

II. Zur Vorgeschichte der pharisäischen Theologie

Es kann im Folgenden nicht die Aufgabe sein, die Entwicklung, deren Endstadium in der rabbinischen Literatur ihren Niederschlag gefunden hat, im einzelnen und bis zur Frage ihres Ursprungs zurück zu verfolgen. Vielmehr soll nur aufgewiesen werden, daß das, was sich für unseren Zusammenhang als bestimmend für die rabbinische Theologie ergab – nämlich ein bestimmtes Geschichtsverständnis und die davon abhängige Interpretation des Gesetzes –, auch bereits in älteren Texten zugrunde liegt. Das bedeutet jedoch keineswegs, daß solche Texte damit sofort pharisäischen Kreisen zugeschrieben werden müßten, und noch nicht einmal dies, daß die Verfasser sich damit, bewußt oder unbewußt, der pharisäischen Theologie angeschlossen hätten. Solche Texte würden lediglich zeigen – und nur darum geht es auch in unserem Zusammenhang –, daß die Grundlagen der pharisäischen Theologie älter sind als die rabbinische Literatur. Und wenn diese Grundlagen hier und da in vielleicht ganz verschiedenartigen Texten auftauchen, so ergibt sich daraus nur, daß sie die spätjüdische Theologie weithin bestimmt haben und von den verschiedensten Kreisen aufgenommen wurden, die keineswegs deshalb bereits als „pharisäisch" bezeichnet werden müßten. Die Besonderheit des Pharisäismus bleibt von der Frage des Alters und der Verbreitung desjenigen theologischen Grundschemas, das freilich auch für ihn bestimmend geworden ist, zunächst unberührt.

Es sind besonders zwei Texte, die sich von unserer Fragestellung her als leicht zugänglich und fruchtbar erweisen, weil sie beide thematisch die Geschichte behandeln: nämlich das erste Makkabäerbuch und das Chronistische Werk. Beide Texte führen weit in die Anfänge des Spätjudentums zurück. Außerdem liegen hier, gerade auch für unsere Fragestellung, sehr wesentliche Untersuchungen bereits vor, so daß sich die Ergebnisse kurz zusammenstellen lassen.

1. *Das I. Makkabäerbuch*

I. Makk. entstand in den letzten Jahrzehnten des zweiten vorchristlichen Jahrhunderts[1] und zeigt deutlich seine Herkunft aus Kreisen um das hasmonäische Königshaus.[2] Das Ziel des Verfas-

---

[1] Vgl. Schürer, Geschichte, III S. 194; Bévenot, Kommentar S. 9; Torrey, The apocryphal literature, S. 73; Eißfeldt, Einleitung, S. 717.

[2] Vgl. besonders Torrey ebd. S. 72f. – Die Ursprache ist hebräisch.

sers war offenbar, eine Art Hofchronologie mit besonderer Berücksichtigung der Anfänge der Dynastie und ihrer damaligen Lei-
stungen zu schreiben.[1] Das Buch beginnt mit der Erwähnung Alexan-
ders des Großen und schließt mit der Johannes Hyrkanus', es
umfaßt also im ganzen den Zeitraum von 333 bis 103 v.Chr. und
behandelt davon besonders eingehend die Jahre 175 bis 135 v.Chr.

a. Die für unseren Zusammenhang zunächst wichtige Frage ist
die nach der Vorstellung von Geschichte überhaupt, die dem Be-
richt zugrunde liegt. Dafür ist bereits bedeutsam, daß es sich beim
I. Makk. der literarischen Gattung nach um eine Chronik handelt.
Diese chronistische Stilform wird sehr bewußt durchgeführt. Das
Buch hat weder Einleitung noch Schluß; es beginnt sogleich mit
einem historischen Bericht und schließt ebenso abrupt mit einer
traditionellen Formel.[2] Im ganzen besteht das Buch aus einer
Fülle von einzelnen Berichten, die unvermittelt und ohne inneren
Zusammenhang aneinandergereiht werden. Besonders deutlich ist
hier der Schluß des Berichtes über Antiochus V. und der Beginn
der Erzählung von Demetrius. Es heißt 6 63–71:

„Hier fand er (Antiochus V.) Philippus als Herrn der Stadt und kämpfte
gegen ihn und eroberte die Stadt mit Gewalt. Im Jahre 151 entwich Demetrius,
der Sohn des Seleukus aus Rom..."

Der Bericht über das Bündnis des Judas mit den Römern beginnt:[3]

„Und es ruhte das Land Juda einige Tage. Und Judas hörte den Namen
der Römer..."

Weitere Beispiele erübrigen sich. Der Stil einer chronistischen
Aufzählung tritt deutlich hervor. Aber damit wird zugleich deutlich, daß von ebendieser Anlage des Buches her die Geschichte nirgends als zusammenhängende Einheit in den Blick kommt. Sie
bleibt vielmehr überall ein Nebeneinander und Nacheinander einzelner politischer und strategischer Situationen. Jeder neue Bericht
wird abrupt und unvermittelt angereiht.[4] Einen geschichtlichen
Fortschritt, eine geschichtliche Entwicklung oder eine Führung
Gottes gibt es nicht.

---

[1] Vgl. Noth, Geschichte, S. 322.
[2] Vgl. 1 1: „Nachdem Alexander, der Sohn des Philippus, der Makedonier, der aus
dem Lande Kittim ausgezogen war..." Zu 16 23 f. vgl. unten S. 36.
[3] 7 50–8 1; vgl. Bickermann, Gott der Makkabäer, S. 28.
[4] Vgl. Bickermann ebd. S. 28: „Bei einer solchen indirekten Darstellungsweise zerfällt
die Geschichte notwendigerweise in eine Reihe von untereinander nicht verbundenen
Geschehnissen und ist mit jedem eigentlich zu Ende. Jedes neue Ereignis wird als ein
zufälliges angesehen."

Dieser Verzicht auf eine zusammenhängende Schau der Geschichte ist durch den Ansatz des Buches vorgegeben. Aber es zeigt sich
nun doch, daß die Absicht des Verfassers damit noch nicht voll
erfaßt ist. Er will mehr geben als einen bloßen chronistischen Bericht. Dies ergibt sich besonders deutlich aus der Beobachtung, daß
er sich offenbar direkt von der Darstellungsweise des Deuteronomisten und des Chronisten leiten läßt. Er führt „bewußt die Linie
der biblischen Erzählungen über Richter und Könige in Israel
weiter“.[1] Der Bericht über die Makkabäer soll also in dieselbe Ebene
und in gleiche Dignität mit den biblischen Erzählungen gestellt werden. Es ist das Anliegen, die Bedeutung der hasmonäischen Dynastie zu zeigen, indem sie in gleiche Art mit der Geschichte Israels
gerückt wird. Dem entspricht es, daß, wie BICKERMANN gezeigt hat,
das Buch „von einer Idee beherrscht ist, der des Gegensatzes zwischen Israel und den Völkern“.[2] Das jeweils neue Ereignis beginnt
nicht mit einer Unternehmung der Juden. „Die 'Antriebe', die notwendig sind, um die mit jeder Episode abgelaufene Darstellung wieder in Bewegung zu setzen, erfolgen, von wenigen Fällen, wie das
römische Bündnis, abgesehen, durch die Missetaten der Feinde, die
den Juden keine Ruhe gönnen.“[3] Die Situation ist immer wieder
die gleiche: gerade hat sich Israel der Feinde erwehrt, da beginnen
die „Heiden“ den Streit neu,[4] und das Volk muß sich verteidigen,
und zwar unter der siegreichen Führung der Makkabäer. Von dieser
Konzeption her gewinnt die Geschichte im I. Makkabäerbuch ihre
Einheit. Aber es ist ohne weiteres deutlich, daß damit nicht der
chronikartige Ansatz überwunden wird. Der Verfasser benützt ihn
vielmehr ganz bewußt für die Gestaltung seiner Konzeption. Voran
stehen für ihn der Gegensatz der Völker zu Israel und die bedeutende
Rolle der Makkabäer. Und unter diesem Thema beschreibt er jede
einzelne Situation. Von daher erhalten die chronikartig aufgezählten
Einzelberichte ihre unter sich völlig gleiche Struktur.[5] Als ge-
schlossener Entwurf von Geschichte kommt die Reihe der Ereignisse,
gerade von der Voraussetzung ihrer immer wieder gleichen Thematik

---

[1] Bickermann ebd. S. 27. Er verweist dazu besonders auf die Einlage von Liedern
(1 25.38; 2 7; 3 3), oder auf eine Notiz wie 9 22 (vgl. 16 23 f.) : „Was aber sonst noch von
Judas zu sagen ist und von den Kämpfen und den Heldentaten, die er verrichtet hat, und
von seiner Größe, das ist nicht aufgeschrieben, denn es war sehr viel.“ Vgl. dazu z.B.
1. Kön. 11 41; 14 19 u.ö., Kautzsch I, S. 58 Anm.g; Bévenot, Kommentar, z. St.
[2] Bickermann, ebd. S. 28.
[3] Bickermann ebd.
[4] Zum Begriff der „Heiden“ in I. Makk. vgl. Bickermann, ebd. S. 30.
[5] Vgl. v. Rad, Der heilige Krieg im alten Israel, S. 84: „Es geht diesem Historiker im
Letzten doch viel mehr um das δοξασθῆναι der Juden (I. Makk. 11 51), als um eine
Darstellung der wunderhaften Geschichtstaten Gottes.“

her, nicht in den Blick. Darin zeigt sich, daß hier derselbe Ansatz für das Verständnis von Geschichte zugrunde liegt wie in der pharisäischen Orthodoxie.

b. Über das Gesetz sind thematische Ausführungen in I. Makk., dem Charakter des Buches nach, nicht zu erwarten. Immerhin ist der Begriff häufig: νόμος findet sich 26 mal, davon 2 mal im Plural[1] und einmal in profanem Sinn (2 22). Er bezeichnet das mosaische Gesetz, die Tora.

Für die Frage, wie und als was dieses Gesetz verstanden wurde, ist der Bericht über das Religionsedikt Antiochus' IV aufschlußreich. Dort heißt es (1 44–49):

> „Und es sandte der König Briefe durch Boten nach Jerusalem und den Städten Judas: sie sollten sich nach Gebräuchen richten, die dem Lande fremd waren und die Brandopfer und Opfer und Trankopfer im Heiligtum abschaffen und den Sabbat und die Feste entweihen und das Heiligtum und die Heiligen verunreinigen; und Altäre und Haine und Götzenbilder aufrichten und Schweine und unreine Tiere opfern und ihre Söhne unbeschnitten lassen und sich durch alles Unreine und Greuliches beflecken, –
> so sollten sie das Gesetz vergessen und alle Satzungen abschaffen."

Die Aufzählung dessen, was durch das Edikt verboten wird, will sicher nicht vollständig sein, aber sie meint jedenfalls das Ganze. Und dieses Ganze ist nichts anderes als eine Fülle von Einzelheiten, hinter denen jeweils ein Gebot steht. Gegen dieses jeweils einzelne Gebot und seine Erfüllung richtet sich der Angriff des Antiochus Epiphanes. Die Summe der Einzelgebote ist das Gesetz, und im Nichterfüllen eines Gebotes geschieht das „Vergessen" des Gesetzes, das daher identisch ist mit dem „Abschaffen"[2] der Satzungen. Das Gesetz hat seine konkrete Gestalt in den einzelnen Geboten. Dem entspricht es, daß Judas peinlich bedacht ist, seinerseits jedes einzelne Gebot zu befolgen. Sogar bei der Aufstellung seines Heeres, für das sicherlich jeder Mann gebraucht wurde, hält er sich peinlich genau an die Anweisung Dt. 20 5 ff.: er entläßt alle, die ein Haus gebaut, ein Weib gefreit, einen Weinberg gepflanzt haben oder die furchtsam sind, und zwar κατὰ τὸν νόμον (3 56). „Das Gesetz" konkretisiert sich im einzelnen Gebot.[3]

Von hier aus sind die vielfältigen Begriffe zu verstehen, die das Verhältnis des Menschen zum Gesetz beschreiben. Häufig sind besonders ζηλόω für das Verhalten des Gerechten[4] und καταλείπω für

---

[1] 10 37; 13 3. – Der Plural ist häufig im hellenistischen Judentum, vgl. Gutbrod ThWB IV, S. 1043 f.; Schrenk ThWB II, S. 543; Dahl, Das Volk Gottes, S. 98.

[2] ἀλλάσσειν, wörtlich: verändern, verwandeln.

[3] Vgl. für die Formel κατὰ τὸν νόμον noch 4 47.53; 15 21.

[4] Vgl. 2 26.27.50; 14 14.

das des Sünders.[1] Das „Eifern" beschreibt die Befolgung des jeweils konkreten Einzelgebotes; und auf dasselbe Einzelgebot bezieht sich das „Verlassen" als Gegenbild.

Die kurze Skizze läßt bereits deutlich das für unseren Zusammenhang Wichtige erkennen: das Gesetz ist verstanden als Summe einer Vielzahl einzelner, je und je zu befolgender Gebote. Und in der Befolgung dieser einzelnen Gebote besteht die Gerechtigkeit des Frommen. Wie schon für das Geschichtsverständnis, so zeigt sich auch im Verständnis des Gesetzes die prinzipielle Übereinstimmung mit dem Ansatz der pharisäischen Orthodoxie.

2. Das Chronistische Werk

In ganz anderer Weise als beim I. Makk. ergibt die Untersuchung des Chronistischen Werkes, daß hier eine Fülle theologischer Motive und Gesichtspunkte bei der Darstellung leitend waren. Das ist besonders von G. VON RAD gezeigt worden.[2] So ist z.B. die Frage der Verheißung von ganz wesentlicher Bedeutung,[3] eine ebenso große Rolle spielt David als das „Hauptthema" des Chronisten,[4] und in engstem Zusammenhang damit steht das Problem des Gesetzes.[5] Die Beachtung dieser theologischen Vielschichtigkeit des Chronistischen Werkes bedeutet für die in unserem Zusammenhang zu stellende Frage, daß sie keinesfalls auf das Ganze der chronistischen Theologie zu zielen vermag. Die Frage nach dem Geschichtsverständnis des Chronisten kann lediglich einen, wenn auch vielleicht nicht unwesentlichen Zug aus dem Komplex seiner theologischen Vorstellungen hervorheben.

Es ist bekannt, daß der Chronist ein besonderes Interesse an der Geschichte der Könige hat. Und zwar dient seine Darstellung dieser Geschichte vor allem dem Nachweis, daß für die Frömmigkeit politischer Erfolg und für die Sünde Mißerfolg notwendige Konsequenz sind.[6] Von diesem Schema her erfolgt die Beurteilung des Einzelfalles. So gilt z.B. für Asa, Josaphat und Hiskia,[7] daß Jahwe ihnen als Folge ihrer Frömmigkeit Sieg und reichlichen Segen gibt,[8] während andererseits z.B. Rehabeam, Joram und Amazja[9]

---

[1] Vgl. 1 52; 2 21; 10 14.
[2] Das Geschichtsbild des Chronistischen Werks, 1930.
[3] In den Rahmen dieser Frage gehört z.B. die „genealogische Vorhalle", vgl. von Rad, ebd. S. 66 f.; 133 f.
[4] von Rad ebd. S. 134. – „Der Chronist" wird hier in gleichem Sinne gebraucht wie bei von Rad, vgl. ebd. S. 133.
[5] Vgl. von Rad ebd. S. 134 ff.
[6] Vgl. Rudolph, Kommentar, S. XIV.
[7] Vgl. II. Chron. 14 1 ff.; 17 1 ff.; 29 1 ff.
[8] Vgl. dazu ferner I. Chron. 29 26 ff.; II. 13 1 ff.; 24 1 ff.; 25 5 ff.
[9] Vgl. II. Chron. 12 1 ff.; 21 1 ff.; 25 14 ff.

wegen ihrer Sünde dem Unglück verfallen.[1] Die Intention, die in dieser Darstellung der Geschichte zum Ausdruck kommt, läßt jedenfalls einen Grundzug ihrer Voraussetzungen deutlich erkennen: indem es für jeden König und in jeder Situation immer wieder um dieselbe Frage geht, bleiben alle diese Situationen untereinander gleich und ohne grundsätzliche Unterschiede. Die einzelne Episode erscheint ihrem Wesen nach immer nur von derselben Frage nach rechtem oder unrechtem Verhalten bestimmt, und allein danach richtet sich ihr Ausgang. So verschieden jeweils die äußeren Umstände sein mögen, so geht es doch in jeder neuen Situation immer wieder nur um dieselbe Sache. Ein geschichtlicher Fortschritt oder ein Wandel, der die Situation von Grund auf änderte, kommt nicht in den Blick.[2] „Geschichte" ist für den Chronisten eine Kette einzelner Ereignisse, die ihrer Struktur nach stets gleich bleiben.

Freilich ist zu beachten, daß damit keineswegs das Ganze der chronistischen Geschichtsvorstellung beschrieben ist. Der Chronist ist wesentlich am Handeln Jahwes in der Geschichte interessiert,[3] wie auch an der bleibenden Gültigkeit der Verheißung. Und es ist deutlich, daß er „weder in unserem modernen Sinn noch etwa nach der Auffassung des Deuteronomikers die Absicht hatte, Geschichte zu schreiben".[4] Aber darüber ist nicht zu verkennen, daß sich innerhalb des Ganzen seiner theologischen Vorstellungen ein Geschichtsverständnis abzeichnet, das vom Fehlen jeden geschichtlichen Fortschrittes ausgeht und die Vergangenheit als Vielzahl einzelner, in sich völlig gleicher Situationen versteht.

Das Gesetz spielt im Chronistischen Werk eine entscheidende Rolle. Es kommt dem Chronisten wesentlich darauf an, daß neben dem mosaischen Gesetz die „levitischen Ordnungen Davids" stehen,[5] und der „Lobpreis Jahwes" in den kultischen Feiern ist für ihn die „wichtigste Aufgabe" seines Volkes.[6] Die peinliche Befolgung dieses Gesetzes steht ganz im Vordergrund des Interesses, und sie gehört auch wesentlich in den Zusammenhang der Frage

---

[1] Vgl. ferner I. Chron. 10 13 ff.; II. 24 15 ff.; 28 1 ff. u.ö.

[2] Darin liegt ein wesentlicher Unterschied zum Deuteronomisten. Während für den Deuteronomisten das Exil die schließliche Strafe für die sich in der ganzen Geschichte fortschreitend anhäufende Sünde ist, gilt dem Chronisten die Verbannung nur als Strafe für die Sünde der exilierten Generation, vgl. II. Chron. 36 11 ff.

[3] Ob dieses Handeln Jahwes in den Rahmen eines „Vergeltungsdogmas" (so Rudolph, Kommentar, S. XIV) gehört, oder im Zusammenhang der Vorstellungen von „schicksalwirkender Tat" (vgl. Koch, Gibt es ein Vergeltungsdogma im Alten Testament? ZThK 52, 1955, S. 1ff.) zu sehen ist, bleibe hier zurückgestellt.

[4] von Rad, Geschichtsbild, S. 133.

[5] von Rad, ebd. S. 62f.

[6] Rudolph, Kommentar, S. XV.

nach dem heilvollen oder unheilvollen Verhalten in der Vergangenheit. Ein deutliches Beispiel bietet hier das für den Chronisten sehr wichtige Verhältnis zum Götzendienst, dessen Norm die Gebote des Deuteronomiums bilden.[1] So wollen die – spezifisch chronistischen – Berichte vom Umhauen der Ascheren deutlich die Befolgung deuteronomischer Gebote zeigen;[2] sie stehen aber zugleich im Zusammenhang des Berichts über das heilvolle Verhalten der Könige Asa, Hiskia und Josia.[3] Entsprechend finden sich chronistische Zufügungen in den Berichten über sündhafte Könige in der Weise, daß ihnen Verstöße gegen einzelne Gebote des Deuteronomiums zugeschrieben werden.[4] Für die Beurteilung der Könige und ihrer geschichtlichen Situation spielt demnach ihre Befolgung von Einzelgeboten des Gesetzes eine nicht unwichtige Rolle. Und zwar bleiben es stets dieselben Gebote, auf die es ankommt, wie das Beispiel von Asa, Hiskia und Josia zeigt. Gilt auch hier wieder, daß damit keineswegs das Ganze der chronistischen Vorstellung vom Gesetz und seiner Bedeutung erfaßt ist, so liegt offenbar doch einiges Gewicht auch auf diesem Einzelzug. Die Frage nach dem heilvollen Verhalten ist deutlich mit von der Befolgung der einzelnen Gebote bestimmt.[5]

Für unseren Zusammenhang hat sich damit ergeben, daß der Grundansatz, der in der pharisäischen Theologie beherrschend geworden ist, im Chronistischen Werk, wenn auch im Rahmen einer viel umfassenderen Konzeption, jedenfalls schon angelegt ist: das Verständnis der Geschichte als Summe einzelner, stets gleicher Situationen und das in die Vielzahl der Einzelgebote zerfallende Gesetz.

III. ERGEBNISSE

In der Theologie des pharisäischen Rabbinats, so hatte sich gezeigt, war ein bestimmtes und in sich geschlossenes Verständnis der Geschichte zur tragenden Grundlage geworden. Die Vergangenheit kommt hier nicht anders in den Blick, denn als Kette einzelner, stets in sich gleicher und ihrem Wesen nach voneinander nicht un-

---

[1] von Rad ebd. S. 58 ff.
[2] von Rad ebd.
[3] Vgl. II. Chron. 141 ff.; 311; 341 ff.
[4] von Rad ebd. S. 59; vgl. II. Chron. 282; 336.
[5] Vgl. von Rad, Theologie des Alten Testaments, 1957, S. 349: „Hier kündigt sich ein bedenkliches Gesetzesverständnis an. Ist das noch ein geistlich verstandenes und nicht vielmehr ein zerrissenes und tatsächlich schon zum Buchstaben gewordenes Gesetz, das sich aus vielen absolut genommenen rituellen Vorschriften zusammensetzt?"

terschiedener Situationen. Lassen wir die Frage, welches Verständnis von „Zeit" damit impliziert ist,[1] außer acht, so ist doch deutlich, daß das Vergangene gerade in seiner Bedeutung als Gewesenes nicht ernsthaft bestimmend werden kann. Die Kette der in sich immer wieder gleichen Episoden setzt sich fort über die Gegenwart hinaus in die Zukunft bis hin zum Eschaton, das von daher nur als Schlußglied dieser Kette charakterisiert werden kann. Das vergangene Ereignis kann, gerade weil es weder von anderem Vergangenen noch von der Gegenwart wesentlich verschieden ist, als unmittelbares Beispiel für ebendiese Gegenwart verstanden werden. Daß es als Vergangenes gerade vom Gegenwärtigen verschieden wäre und eben von dieser Qualität her die Gegenwart bestimmen könnte, kommt nicht in den Blick. So kann es im Rahmen dieser Theologie keinen geschichtlichen Wandel im Sinne einer grundsätzlichen Veränderung geben, keinen Fortschritt und kein unableitbares, radikal neues Geschehen. „Geschichte", so kann man sagen, ist für das pharisäische Rabbinat nichts anderes als „beständige Gegenwart".

Von diesen Voraussetzungen her, so zeigte sich weiter, ergibt sich der Ansatz für die spezifisch pharisäische Interpretation der Tora. Im Blick auf das Gesetz als einzige Offenbarung Gottes muß der Fromme sich in jeder Situation immer wieder und immer wieder gleich bewähren, und zwar in der Befolgung der ebenso immer wieder gleich geltenden Gebote. Für jede Situation und für jedes Ereignis sind solche Gebote in der Tora enthalten oder zumindest angelegt. Die Tora umgreift jede Situation und damit die ganze Geschichte. Von daher gilt es, dem Wechsel äußerer Umstände in den einzelnen Episoden, der ja niemals ihr Wesen berührt, durch die auslegende Suche nach dem hier notwendigen Gebot zu entsprechen. So wächst die Tora von Situation zu Situation, freilich nicht ihrem Wesen nach, indem Neues zu ihr hinzukäme, sondern in der Entfaltung des immer schon in ihr Gegebenen. Von der Bewährung an dieser ständig wachsenden Fülle einzelner Gebote her wurde die Theorie der „Anrechnung" ausgebildet, in der alles auf das Verhältnis von Verdienst und Schuld ankommt, in der aber auch das Leiden als schuldmindernde Sühne verstanden werden kann. Darin zeigt sich an, daß die Wurzel der rabbinischen Anthropologie das Gesetz ist, und zwar ein Gesetz,

---

[1] Vgl. zur Sache: Delling, Das Zeitverständnis des Neuen Testaments, 1940; Cullmann, Christus und die Zeit, 2. Aufl. 1948; Boman, Das hebräische Denken im Vergleich mit dem griechischen, 2. Aufl. 1952; Pidoux, A Propos de la notion biblique du temps, Rev. de Theol. et de Philos. 1952, 2; Ratschow, Anmerkungen zur theologischen Auffassung des Zeitproblems, ZThK 51, 1954, S. 360ff.; Eichrodt, Heilserfahrung und Zeitverständnis im Alten Testament, Theol. Zeitschrift 12, 1956 H. 2.

das vom Geschichtsverständnis her immer schon in die Vielzahl einzelner Gebote zerfallen ist.

Der kurze Blick auf das I. Makkabäerbuch und das Chronistische Werk machte deutlich, daß der Ansatz der pharisäischen Theologie jedenfalls älter ist als das rabbinische Schrifttum. Das pharisäische Verständnis der Geschichte tritt im I. Makkabäerbuch deutlich hervor und zeigt sich auch schon im Chronistischen Werk angelegt. Dasselbe gilt für die damit eng zusammengehörige Interpretation der Tora. Dem Zerfall der Geschichte entspricht der Zerfall des Gesetzes, und zwar im Ansatz bereits lange vor der Ausprägung in der pharisäischen Orthodoxie. Die dadurch bestimmte Theologie erweist sich so als ein ursprünglicher Besitz des Spätjudentums, dessen Wurzeln offenbar weit in die vormakkabäische Zeit zurückreichen und der später schlechthin bestimmend geworden ist.

Das eigentliche Ergebnis dieses Abschnittes ist die Feststellung, daß die pharisäische Theologie nicht auf einem heilsgeschichtlichen Entwurf aufgebaut hat. Ein Geschichtsbild, in dem das Vergangene gerade als Vergangenes und das Zukünftige gerade als noch Ausstehendes, jedes aber als radikal und unableitbar Neues, von Bedeutung wäre, kommt nicht in den Blick.[1] Diesem Fehlen von Geschichte in einem eigentlichen Sinne entspricht die Qualität der Tora als wesentlich ungeschichtlicher Größe. Da es hier keine „Geschichte" gibt, entsteht auch nicht die Frage nach ihrer Einheit und nach dem, was solche Geschichte im Ganzen umgreifen könnte. Die Feststellung dieser „Ungeschichtlichkeit" der pharisäischen Theologie führt auf die Frage nach den Grundlagen der Apokalyptik. Denn hier ist, wie kaum in einer anderen Literatur, die Geschichte zum eigentlichen Thema geworden.

---

[1] „Die Gemeinde... lebt in einer merkwürdigen Isolierung, gleichsam entgeschichtlicht", Bultmann, Das Urchristentum im Rahmen der antiken Religionen, S. 63.

B. GESETZ UND GESCHICHTE IN DER APOKALYPTISCHEN TRADITION

Der Begriff „Apokalyptik" wird heute allgemein in einem doppelten Sinne gebraucht. Einmal versteht man darunter eine bestimmte Gattung von Texten, die wesentlich durch den Gebrauch von Offenbarungsreden und Visionen charakterisiert ist und bei deren Inhalt mythologische Darstellungen der Geschichte und des Weltalls im Vordergrund stehen. Zum anderen wird der Begriff „Apokalyptik" unabhängig von der Gattungsfrage auf alle Vorstellungen angewendet, die in mehr oder weniger großer Nähe zu denen der Apokalypsen im engeren Sinne stehen. Jedoch wird der Begriff dadurch weithin unscharf, besonders, wenn man beachtet, daß über die Herkunft der Apokalypsen und über die Frage der hinter ihnen stehenden spätjüdischen Kreise keineswegs Einhelligkeit besteht.[1] So ist oft nicht deutlich, ob die Bezeichnung „apokalyptisch" auf den Vorstellungszusammenhang oder einen historischen Hintergrund verweisen soll.

Es empfiehlt sich daher, um den Begriff möglichst scharf einzugrenzen, von den Texten auszugehen. Der Begriff der „Apokalypse" wird im Folgenden nur als Gattungsbezeichnung verwendet, und zwar so eng wie möglich. Das bedeutet z.B., daß die „Testamente der XII Patriarchen" nicht im Ganzen als Apokalypsen bezeichnet werden können. Sie gehören gattungsmäßig zum Typ der „Abschiedsreden", und nur Einzelstücke daraus sind Apokalypsen.[2] Als repräsentativ für die apokalyptische Gattung sind besonders drei Bücher anzusehen: das äthiopische Henochbuch, das IV. Buch Esra und die syrische Baruch-Apokalypse.[3] Ist damit der formale

---

[1] Stauffer (Theologie des Neuen Testaments, S. 3 ff.) und Otto (Reich Gottes und Menschensohn, S. 142) bezeichnen die Apokalypsen im Anschluß an Bousset (Volksfrömmigkeit und Schriftgelehrtentum, 1903) als „Volksbücher", die in deutlichem Abstand zur schriftgelehrten Literatur stehen. Nach Schlatter (Geschichte des Christus, S. 309 f.), G. Kittel (Probleme, S. 11 ff.) und Jeremias (Jerusalem zur Zeit Jesu II, S. 106 ff.) wären sie dagegen die esoterische Literatur gerade der Schriftgelehrten. – Durch die Textfunde von Qumran hat sich jetzt gezeigt, daß hier deutliche sachliche Beziehungen wenigstens einzelner Apokalypsen zu dieser Gemeinschaft bestehen, vgl. Kuhn, Die Sektenschrift und die iranische Religion, ZThK 49, 1952, S. 313 f., G. Molin, Qumran – Apokalyptik – Essenismus, Saeculum 6, 1955, bes. S. 252 ff.

[2] Eine formgeschichtliche Untersuchung der Test. XII bietet Aschermann, Die paränetischen Formen der Testamente der zwölf Patriarchen, Diss. Berlin 1955.

[3] In der Literatur liegt eine formgeschichtliche Untersuchung der apokalyptischen Texte bisher nicht vor. Da dem auch in dieser Arbeit nicht nachgegangen werden kann, empfiehlt es sich, den Ausgangspunkt auf die auf jeden Fall sichere Grundlage dieser dreigroßen und sehr von einander verschiedenen Apokalypsen zu beschränken.

Ausgangspunkt bezeichnet, so ist nun den „apokalyptischen Vorstellungen" zunächst nur das zuzurechnen, was sich inhaltlich aus
den der Gattung zugehörigen Texten ergibt. Und damit ist zugleich
ein zweites Kriterium gewonnen: nicht nur die literarisch-formale
Übereinstimmung mit den grundlegenden Texten kennzeichnet
einen anderen Text als „apokalyptisch", vielmehr muß die enge
inhaltliche Beziehung hinzutreten. Das bedeutet eine weitere Einengung des Textmaterials. Von der Grundlage der drei als repräsentativ genannten Texte her kann z.B. auch das „Jubiläenbuch" nicht
im eben beschriebenen Sinne als „apokalyptisch" bezeichnet werden. Es gehört weder gattungsmäßig exakt den Apokalypsen an[1]
noch besteht eine inhaltliche Übereinstimmung.[2]

Den Ausgangspunkt für unsere Untersuchung bilden also in for-
maler wie in sachlicher Hinsicht die drei großen Apokalypsen. Andere Texte werden unter Berücksichtigung der genannten Kriterien
hinzugezogen. Die Bindung dieser Texte an eine gemeinsame
Grundkonzeption ist seit GUNKEL und WELLHAUSEN allgemein bekannt.[3] Ebendiese gemeinsame Grundkonzeption bezeichnen wir
als die „apokalyptische Tradition". Damit ist zugleich eine bestimmte Beschränkung der Untersuchung vorgegeben. Die Tatsache
einer gemeinsamen Grundkonzeption der apokalyptischen Texte
darf nicht darüber täuschen, daß ebendiese Konzeption in jedem
Text unter ihm spezifisch eigenen Gesichtspunkten und in einem je
besonderen Zusammenhang verarbeitet worden ist. Die Frage nach
der apokalyptischen Tradition muß aber gerade ganz bewußt das
jeweils Eigene des Textes ausklammern und zurückstellen. Das Recht
dazu bedarf keiner Begründung. Die gemeinsame Überlieferung
muß erst bekannt sein, bevor das Eigene gerade von daher erfaßt
werden kann. Die Frage nach der apokalyptischen Tradition ist also
eine Frage unter systematischen Gesichtspunkten. Die daran anzu-
schließende Frage nach der jeweils besonderen Ausprägung der
Tradition in den einzelnen Texten, also nach ihrer Geschichte, kann
im Rahmen dieser Arbeit nicht mehr gestellt werden.

Unter der speziellen Frage nach Gesetz und Geschichte ist die
apokalyptische Tradition bisher noch nicht untersucht worden. In
den Gesamtdarstellungen der Apokalyptik kommt zwar das Gesetz

---

[1] Das Buch beschreibt den Vorgang (vgl. 11 ff.) und Inhalt einer Offenbarung an
Mose, bringt aber nicht die Reden eines Offenbarungsempfängers.

[2] Das wird durch die Darstellung der Apokalyptik im Folgenden deutlich werden.

[3] Gunkel, Schöpfung und Chaos, 2. Aufl. 1921; Wellhausen, Skizzen und Vorarbeiten
VI, nimmt gegen Gunkel Stellung, stimmt ihm aber gerade in diesem Punkte zu, vgl.
S. 226.

durchaus zur Sprache; aber doch nur so, daß es in den allgemeinen Rahmen des Spätjudentums hineingestellt wird.[1] Das spezifisch apokalyptische Geschichtsbild wird dagegen meist sehr viel ausführlicher dargestellt, so daß darauf in unserer Untersuchung jeweils zurückgegriffen werden kann.[2] Der Frage nach einer möglichen eigenen und besonderen Bedeutung des Gesetzes in der apokalyptischen Tradition ist bisher noch nicht nachgegangen worden.[3] Das ist im Folgenden die Aufgabe, und zwar im besonderen Blick auf die Stellung des Gesetzes im Gesamtzusammenhang der apokalyptischen Vorstellungen; aber auch im ständigen Vergleich mit den Ergebnissen des Abschnitts über die pharisäische Orthodoxie.

I. DAS GESETZ

Der Begriff „Gesetz" ist in der apokalyptischen Tradition keineswegs selten. Er findet sich in den drei großen Apokalypsen mehr als 70 mal.[4] In dieser Häufung kündigt sich offenbar ein großes Interesse an der Sache an, und um so auffallender und überraschender ist daher eine Beobachtung, die sich sogleich bei der ersten Übersicht über die Texte aufdrängt: es kommt an keiner Stelle in der apokalyptischen Tradition der Inhalt des Gesetzes zur Sprache. Und zwar ergibt sich nicht nur, daß nirgends thematisch expliziert wird, was das Gesetz sei; der Befund ist vielmehr der, daß in der gesamten apokalyptischen Tradition niemals ein Gebot seinem Inhalt nach erwähnt wird. Beachtet man dabei, daß in den einzelnen Texten die Abwehr der Sünder einen beherrschenden Raum einnimmt und daß die Beurteilung dieser Sünder ganz eindeutig vom Gesetz her geschieht,[5] so muß die genannte Beobachtung noch mehr befremden. Die Apokalyptik kennt nur die ganz allgemeine Formel „das Gesetz", und zwar ohne jede Angabe darüber, was dieses Gesetz konkret fordert oder gebietet.

[1] Vgl. Volz, Eschatologie, S. 111ff.; Bousset-Greßmann S. 119ff.
[2] Vgl. Volz, Eschatologie, S. 6ff.; Bousset-Greßmann, S. 242ff.; Beek, Inleiding, S. 66ff.; Rowley, The relevance, S. 54ff.; Frost, Old Testament Apocalyptic, S. 18ff.; Die Einleitungen von Torrey und Oesterley behandeln die Apokalyptik nicht speziell.
[3] Die Untersuchung von Marcus, Law in the apocrypha, New York 1927, befaßt sich nicht mit apokalyptischen Texten.
[4] Im äth. Hen. steht ፕእሕH : 5 4; sonst ሥርዐት : 93 4. 6; 99 2; 108 1; (zu den übrigen Stellen s. S. 53 f.) IV. Esra bietet lex: 3 19. 20. 22; 4 22; 5 27; 7 17. 24. 72. 79. 81. 89. 94. 133; 8 12. 29. 56; 9 11. 31. 32. 36. 37; 13 54; 14 21. 22. 30; Im syr. Bar. findet sich ܢܡܘܣܐ 3 6; 15 5; 17 4; 19 3; 32 1; 38 2. 4; 41 3; 44 3. 7. 14; 46 3. 5; 48 22. 24. 27. 38. 40. 47; 51 3. 4. 7; 54 5. 14; 57 2; 59 2. 4. 11; 66 5; 67 6; 77 3. 15. 16; 84 2. 5. 7. 9; 85 3. 14.
[5] Vgl. z.B. äth. Hen. 5 4; 99 2; IV. Esra 7 24. 72; 8 56; syr. Bar. 41 3; 54 14; u.ö.

Das ist um so überraschender, als der Terminus „Gebot" keineswegs fehlt. Es wird nicht selten auf „die Gebote" hingewiesen.[1] Aber gerade hier ergibt sich, daß niemals der Inhalt des Gebotes oder der Gebote genannt wird. An keiner Stelle bezeichnet das Gebot eine bestimmte konkrete Forderung. „Das Gebot" bleibt eine ebenso allgemeine Formel wie „das Gesetz". Das wird besonders darin deutlich, daß beide Begriffe, ohne daß auch nur eine Akzentverschiebung des Gemeinten erkennbar wäre, promiscue gebraucht werden können. So finden sie sich in synonymem parallelismus membrorum:

IV. Esra 3 1 9: „ut dares semini Iacob legem
  et generationi Israel diligentiam."
  7 72: „et mandata accipientes
  non servaverunt ea
  et legem consecuti
  fraudaverunt eam quam acceperunt"[2]
syr. Bar. 84 7f: „Es soll aber dieser Brief zwischen mir und euch zum Zeugnis sein,
  daß ihr eingedenk sein sollt der Gebote des Allmächtigen...
  und eingedenk sollt ihr sein
  des Gesetzes..."

Aber nicht nur der Parallelismus zeigt den durchaus gleichsinnigen Gebrauch von Gesetz und Gebot. Häufig findet sich auch der Begriff „Gebot", wo man „Gesetz" erwartet, und umgekehrt. So heißt es IV. Esra 3 33, daß die Völker der Gebote „nicht gedacht" haben, und 7 24, daß die Sünder „keinen Glauben hatten" an die Gebote. Syr. Bar. 44 3 wird das Volk aufgefordert, das Gesetz „zu beobachten" und sich von den Geboten „nicht loszusagen"; gerade der umgekehrte Gebrauch der Begriffe wäre als wahrscheinlicher erschienen. Das Wort „Gebot" sagt also offenkundig nichts anderes als das „Gesetz". Bestimmte und konkret zu befolgende Forderungen werden mit beiden Begriffen in der apokalyptischen Tradition nicht expliziert.[3]

In genauer Entsprechung zu diesen Beobachtungen steht die

---

[1] Im IV. Esra stehen im Sinne von „Gebot": diligentia 3 7. 19; 7 37; mandatum 3 33. 35. 36; 7 72; legitima 7 24; 13 42; constitutio 7 11. 45; Im syr. Bar. steht ܩܘܡܒܐ 4 4; 44 3; 51 11; 61 6; 77 4; 79 2; 82 6; 84 1. 7.

[2] Das „non servare" ist nicht spezifisch mit „Gebot" verbunden. Dieses kann ebenso mit „spernere" stehen (7 37), genau wie „Gesetz" (vgl. 7 24). – Der ganze Vers macht deutlich den Eindruck einer Übersetzung, der ein ausgeprägter Parallelismus zugrunde lag.

[3] Die im äth. Hen. allein vorkommenden Begriffe ትእዛዝ፡ und ሥርዓት፡ können beide sowohl für νόμος, wie für ἐντολή stehen, vgl. Dillmann, Lex. Ling. aeth. s.v. – ሕጓት፡ das ausschließlich die lex mosaica im äthiopischen Sprachgebrauch bezeichnet, fehlt im äth. Hen., ebenso ሐግ፡, das Äquivalent für קח.

weitere, daß in der Apokalyptik an keiner Stelle das Gesetz zitiert
wird. Die sonst so bekannten Formeln, mit denen auf bestimmte
Satzungen des Gesetzes verwiesen wird, fehlen hier vollkommen.
Sie klingen allein an zwei Stellen an. Aber es ist bezeichnend, daß
damit gerade nicht auf einzelne Gebote im Gesetz verwiesen wird:

IV. Esra 7 17: „Dominator domine, ecce
 disposuisti in lege tua
 quoniam iusti haereditabunt haec
 impii autem peribunt.‟

14 22: „...et scribam omne quod factum est
 in saeculo ab initio,
 quae erant in lege tua scripta.‟

 Der Verweis auf das Gesetz findet dort einmal eine allgemeine
göttliche Entscheidung ausgesprochen, zum anderen zitiert er es
in bezug auf Schöpfung und Geschichte.[1] Aber nirgends findet man
die Angabe, daß diese oder jene konkrete Forderung „im Gesetz‟
stehe, oder daß „nach dem Gesetz‟ eine bestimmte Frage so oder so
zu entscheiden sei. Es werden in der apokalyptischen Tradition
keinerlei konkrete einzelne Bestimmungen aus dem Gesetz genannt.
Das muß gerade im Blick darauf befremden, daß in Entsprechung
zu den Sündern auch die Gerechten reichlich gemahnt werden, sich
weiterhin am Gesetz zu orientieren.[2] Aber auch in diesem Zusammenhang fehlt jeder Hinweis auf konkret zu befolgende Forderungen. Die allgemeine Formel „das Gesetz‟ bleibt ohne jede nä-
here Bestimmung.

 Dieser bisher skizzierte Gebrauch der Begriffe hat in wesentlichen Punkten
eine in das Alte Testament zurückreichende Vorgeschichte. Eine detaillierte
Untersuchung der Entwicklung dieser Begriffe und Vorstellungen würde weit
über den Rahmen der vorliegenden Arbeit hinausführen müssen. Auf einige
wenige Hauptzüge soll jedoch wenigstens hingewiesen werden.
 1. Noth[3] hat gezeigt, daß innerhalb der alttestamentlichen Geschichte des
Gesetzesverständnisses die nachexilische Zeit einen entscheidenden Umbruch
bedeutet: „So blieb von dem Zusammenbruch des Gebäudes der alten Ordnung
der Dinge, in dem das Gesetz ein einzelnes Bauglied im Rahmen des Ganzen ge-
bildet hatte, dieses letztere schließlich allein noch aufrecht stehen und wurde
seinerseits zum Mittelpunkt und Halt einer auf dem Trümmerfeld errichteten
neuen Behausung.‟ (ebd., S. 115). Das alte Verständnis von der Offenbarung
der göttlichen Gebote ist zerbrochen: „Sie war nicht mehr der heilsame Ord-
nungswille des sein Volk durch die Geschichte geleitenden Gottes, sondern sie
fing jetzt an zum ‛Gesetz’ in dem theologischen Sinn des Wortes zu werden.‟[4]

---

[1] Vgl. zu 7 17 auch V. 21; zu 14 22 V. 21 und Gunkel in Kautzsch II z.St.
[2] Vgl. äth. Hen. 108 1; IV. Esra 7 94. 133; syr. Bar. 44 3; 51 3; u.ö.
[3] M. Noth, Die Gesetze im Pentateuch, Gesammelte Studien S. 112 ff.
[4] von Rad, Theologie des Alten Testaments, S. 99. – Zu Fragen der Begrifflichkeit,
mit der der Umbruch hier interpretiert wird, vgl. G. Ebeling, Zur theologischen Lehre
vom Gesetz, ZThK 55, 1958, S. 288.

Von entscheidender Bedeutung für diesen Umbruch ist offenbar die Wirksamkeit Esras gewesen (vgl. v. Rad, ebd. S. 97). Das Judentum der Folgezeit ist ganz von diesem neuen Gesetzesverständnis geprägt. Den Versuch einer Anknüpfung an die alte zerbrochene Überlieferung hat es offenbar auch später nicht mehr gegeben. Aber ein gradliniges und einheitliches Gesetzesverständnis ist aus dieser Entwicklung doch nicht hervorgegangen. Vielmehr hat sich aus dem allgemeinen nachexilischen Horizont heraus einerseits die pharisäisch-rabbinische Interpretation und andererseits der apokalyptische Begriff des Gesetzes ausgebildet.

2. Der literarische Fundort für ein Gesetzesverständnis, das zumindest als Vorstufe für den Befund in der Apokalyptik zu gelten hat, ist nicht das nachexilische Schrifttum im ganzen; es sind vielmehr mit deutlicher Begrenzung die Texte der späten Weisheitsliteratur.[1] Als offenkundige Parallelen zum apokalyptischen Sprachgebrauch sei aus der großen Zahl der Beispiele etwa auf Ps. 119 127ff., Sir. 2 15ff. verwiesen oder auf LXX Bar. 5 12:

> „...weil sie abgewichen sind von Gottes Gesetz
> und um seine Rechte sich nicht kümmerten
> und auf den Wegen der Gebote Gottes nicht wandelten,
> noch die Pfade seiner Zucht in Gerechtigkeit betraten."

Auch hier also findet sich der allgemeine Hinweis auf „das Gesetz" ohne inhaltliche Näherbestimmung und ebenso seine Parallelität mit „den Geboten". In besonders großer Nähe zu diesen weisheitlichen Texten stehen die paränetischen Teile des äth. Hen. (Kap. 92ff.). Es ist demnach kaum zu bezweifeln, daß die historisch älteren weisheitlichen Texte den Boden für Begrifflichkeit und Stil des Gesetzesverständnisses in der Apokalyptik darstellen.

3. Die weitreichenden traditionsgeschichtlichen Fragen, die durch diese Zusammenhänge gestellt scheinen, müssen hier außer Betracht bleiben. Auf zwei Unterschiede zwischen beiden Textgruppen soll jedoch hingewiesen werden, zumal sie die Eigenart des apokalyptischen Verständnisses noch zu verdeutlichen geeignet sind.

Bekanntlich gehört zu den Grundzügen der Weisheitsliteratur der auffallend immanente Horizont allen Geschehens. Die eschatologische Perspektive fehlt völlig. Am deutlichsten kommt dies etwa in dem „Hymnus der Väter" (Sir. 44ff.) zum Ausdruck. Hier wird von den großen Gestalten der Vergangenheit Israels berichtet, aber gerade so, daß jeder einzelne unter demselben Aspekt betrachtet wird.[2] Von jedem gilt: wie er getan hat, so ist ihm geschehen, und zwar zu seinen Lebzeiten. Ebendies ist die auch in der Gegenwart unumstößliche Gesetzmäßigkeit und der Grund für Hoffnung und Mahnung:

> „Blicket auf die früheren Geschlechter und seht,
> wer vertraute auf den Herrn und ward zuschanden?" (Sir. 2 10).

Das „Vertrauen auf den Herrn" verwirklicht sich im Streben nach Weisheit, die das Gesetz mit umfaßt und einschließt (vgl. Sir. 24 23 u.ö.). Im Erfolg oder Mißerfolg dieses Strebens entstehen Heil oder Unheil im Leben eines jeden Menschen (vgl. Sir. 5 4ff.).

Ganz im Gegensatz dazu verwirklichen sich in der Apokalyptik Heil oder Unheil allein im Eschaton. Zwar ist auch hier das Gesetz der – alleinige! – Maßstab; aber die Folgen des Verhältnisses zu ihm sind gerade nicht unmittelbar zu erfahren. Es gibt deshalb auch keinen paränetischen Verweis auf Väter, an denen sich die Gesetzestreue zum Heil ausgewirkt hätte, sondern nur den Blick auf das endzeitliche Gericht. So ist bei aller Übereinstimmung im Sprachgebrauch

---

[1] Ähnlich von Rad, Theologie des Alten Testaments, S. 450.
[2] Vgl. von Rad, a.a.O., S. 447; Fichtner, Zum Problem Glaube und Geschichte in der israelitisch-jüdischen Weisheitsliteratur, glaubt dagegen, ein „geschichtliches Interesse" finden zu können.

doch der theologische Horizont, in dem das Gesetz steht, in der Weisheitsliteratur und in der Apokalyptik völlig verschieden. Von einem gemeinsamen Verständnis des Gesetzes kann deshalb kaum gesprochen werden.

Dieser Befund wird nun noch durch weitere Beobachtungen verdeutlicht. Bezeichnend für die späte Weisheitsliteratur ist die Vielschichtigkeit theologischer Motive und Ansätze.[1] So stellt zwar das Gesetz durchaus den Weg zum Heil dar; aber doch nur, sofern es zur Weisheit gehört. Darüber hinaus ist die Weisheit auch völlig selbständig als offenbarendes und soteriologisches „Prinzip" verstanden (vgl. von Rad, a.a.O. S. 446), und daneben steht, ohne daß diese Spannungen ausgeglichen wären, die Weisheit als Person oder im soteriologischen Mythos.[2] Derartige Aussagen sind in der Apokalyptik undenkbar.[3] Hier ist allein durch das Gesetz, und zwar durch die Tora vom Sinai, der Weg zum Heil eröffnet. Im Verhältnis zu weisheitlichen Texten ist das Gesetz sehr viel einliniger, eingeengter und auf eine bestimmte, ebendie das Heil ermöglichende Funktion konzentriert. Diese Funktion ordnet es in den theologischen Gesamtrahmen ein, und nur darin ist es von Bedeutung und Interesse. Ein hymnischer Lobpreis des Gesetzes, wie er z.B. Ps. 119 97ff. und Sir. 24 23ff. vorliegt, wäre deshalb in der Apokalyptik nicht möglich.

Im Ergebnis sind also deutliche Parallelen und Zusammenhänge zwischen Weisheitsliteratur und Apokalyptik nicht zu übersehen; sie werden jedoch überdeckt von dem tiefgreifenden Unterschied in der theologischen Konzeption. Die Apokalytik stellt offenbar eine wohl in der weisheitlichen Tradition wurzelnde, aber ihr gegenüber doch völlig neue und selbständige Stufe theologiegeschichtlicher Entwicklung dar.

Ein besonderes Gewicht gewinnen diese Beobachtungen auf dem Hintergrund dessen, was sich über das Gesetzesverständnis des Rabbinats ergeben hatte. Dort stand gerade das einzelne Gebot in seiner möglichsten Zergliederung und die daraus erwachsende, jeweils konkrete Forderung im Vordergrund. In der apokalyptischen Tradition dagegen fehlt gerade dieser hervorstechendste Zug der pharisäischen Theologie vollkommen. Dem entspricht es nur, daß sich ebensowenig eine Erwähnung der für den Pharisäismus so grundlegenden Halakha findet.[4] Von einem „mündlich überlieferten Gesetz" ist keine Rede, die allgemeine Formel „das Gesetz" wird auch in dieser Richtung nirgends expliziert. Schließlich ist hinzuzufügen, daß in der Apokalyptik auch jeder Hinweis auf eine Exegese des Gesetzes fehlt. Das kann kaum noch überraschen. Im Rabbinat gehört die Exegese in den Zusammenhang des Interesses an konkreten sachlichen Fragen der Gebote. Da sich hier kein solches Interesse findet, fehlt auch die Exegese.

Aus diesen Beobachtungen ergibt sich, daß in der apokalyp-

---

[1] Vgl. von Rad a.a.O., S. 439ff. „So ist also diese späte Weisheit ein Phänomen von erstaunlicher Komplexität", ebd. S. 450.

[2] Vgl. dazu U. Wilckens, Weisheit und Torheit, S. 161ff., 191.

[3] Der Weisheitsmythos äth. Hen. 42 gehört nicht zum apokalyptischen Text; er ist späterer Einschub, vgl. Wilckens a.a.O., S. 161.

[4] Diese Beobachtung findet sich bei Friedländer, Geschichte der jüdischen Apologetik, Zürich 1903, S. 137.

tischen Tradition offenbar ein anderes Verständnis vom Wesen des Gesetzes vorliegt als in der pharisäischen Theologie. Die Unterschiede sind deutlich, und sie betreffen nicht allein Äußerliches, sondern das Grundsätzliche. Denn es bezeugt ein wesentlich verschiedenes Verständnis der Sache, wenn im Pharisäismus alle Bemühung dahin geht, das Gesetz in seinen Einzelgeboten so weit wie irgend möglich für den Frommen zu explizieren; und wenn andererseits die Apokalyptik ausnahmslos gerade jede Explikation vermeidet und dem Gerechten nur die allgemeine Formel „das Gesetz" entgegenhält. Die konkrete Forderung spielt für das Gesetzesverständnis der apokalyptischen Tradition offenkundig keine Rolle.

Dieser Befund hat nun zunächst die Folge, daß der Gesetzesbegriff der Apokalyptik nur schwer klarer zu definieren ist. Die wesentlichen Züge, die im Pharisäismus das Gesetz bestimmten, fehlen hier. Und damit bleiben, gerade im Blick auf dieses Vorbild, nur sehr unscharfe Konturen zurück. Freilich ist ganz eindeutig, daß das Gesetz auch hier das Zentrum des Glaubens ist und den Ausgangspunkt für die Frage nach Gerechtigkeit und Sünde darstellt.[1] Aber schon die Frage, was denn jetzt das Verhältnis des Menschen zum Gesetz sei, wenn es nicht in der Gebotserfüllung begründet ist, stößt auf Schwierigkeiten. Sie wird noch zu behandeln sein. Zunächst ergibt sich weiter, daß sachlich das mosaische Gesetz gemeint ist. Das Gesetz ist am Sinai gegeben[2] und von Mose gebracht worden;[3] es ist das von Gott an Israel gegebene Gesetz.[4] Es handelt sich demnach offenbar um den Pentateuch.[5] Dafür spricht ebenfalls, daß an einigen Stellen die Propheten gesondert genannt werden.[6]

Weitere Einzelheiten sind den Texten direkt allerdings nicht zu entnehmen. Der Sachlage nach ist das auch nicht zu erwarten. Denn die Bedeutung des Gesetzes liegt für die apokalyptische Tradition nach allem ja gerade nicht darin, das corpus einer Sammlung göttlicher Gebote zu sein.

Man kommt der Bedeutung des Gesetzes nun näher durch die Beobachtung, daß der Begriff sehr häufig in Reihen mit synonym parallelen Gliedern auftaucht. Und zwar finden sich solche Aus-

---

[1] Belege passim. Vgl. Bousset-Greßmann S. 119 ff.
[2] Vgl. äth. Hen. 93 6; IV. Esra 3 17 ff.; 14 29.
[3] Vgl. syr. Bar. 17 4.
[4] Vgl. IV. Esra 3 17 ff.; 5 27; 9 29 ff.; äth. Hen. 5 4 die Formel: Gesetz des Herrn.
[5] Die „24 Bücher" in IV. Esra 14 45 bezeichnen sicher den gesamten Kanon. Aber es wird nicht gesagt, daß dieser mit „dem Gesetz" identisch sei.
[6] Vgl. äth. Hen. 108 6; syr. Bar. 85 1 und besonders IV. Esra 7 130: „Sie glaubten ihm (sc. Mose) nicht, noch den Propheten nach ihm, noch auch mir selber..."

sagen sowohl in der Form des poetischen Parallelismus (besonders
im IV. Esra) als auch in Prosasätzen, die parallelismusartig einen
Satz wiederholen. So heißt es:

IV. Esra 8 56: „Nam et ipsi accipientes libertatem
             spreverunt *Altissimum*
             et *legem* eius contempserunt
             et *vias* eius dereliquerent...“
    7 24: „...et *legem* eius spreverunt
             et *sponsiones* eius abnegaverunt...“

äth. Hen. 99 2: „Wehe denen,
             die die Worte des *wahren Glaubens* verfälschen
             und die das *Gesetz* beständig verkehren.“[1]

syr. Bar. 44 14: „...die sich Vorräte der Weisheit zu eigen gemacht haben
             und bei denen sich Schätze der Einsicht vorfinden
             und die sich von der *Gnade* nicht losgesagt
             und die die *Wahrheit des Gesetzes* beobachtet haben.“

Die Beispiele zeigen deutlich die Parallelität des Gesetzes mit
einer Fülle anderer Begriffe. Stellt man diese Begriffe zusammen, so
zeigt sich, daß hier recht häufig die „Weisheit“ oder „Einsicht“
genannt wird,[2] freilich immer als die „Weisheit Gottes“.[3] Ferner
erscheinen „Gott“[4] oder „seine Wege“,[5] seine Verheißungen,[6] sein
Gericht,[7] die Gnade[8] und der wahre Glaube.[9] Die Parallelität solcher Aussagen geht oft sehr weit, an einigen Stellen so sehr, daß
ein geradezu synonymer Gebrauch der beiden Begriffe vorzuliegen
scheint. Das gilt etwa dort, wo „Gott“ mit dem gleichen Verbum
verbunden wird, wie sonst „Gesetz“ oder „Gebot“. So ist „spernere“
IV. Esra 8 56 „Gott“ zugeordnet, an anderen Stellen dem Gesetz
oder Gebot.[10] Besonders auffallend aber ist syr. Bar. 54 14:

    „Und mit Recht gehen die unter,
    die dein Gesetz nicht lieben,
    und die Pein des Gerichts nimmt die in Empfang,
    die sich nicht deiner Herrschaft unterworfen haben.“

Hier sollte man meinen, daß die „Liebe“ nicht dem Gesetz,
sondern Gott gelten müßte und entsprechend das „Unterwerfen“
dem Gesetz und nicht Gott. Im gleichen Abschnitt, dem Gebet
Baruchs in Kap. 54,[11] heißt es auch vorher (V. 5): „...die sich im

---

[1] Zur Übersetzung vgl. unten S. 79.
[2] IV. Esra 8 12 (vgl. die v.l.); syr. Bar. 38 2 ff.; 44 14; 46 4 f.; 48 24; 51 3 f.
[3] Vgl. IV. Esra 8 12; syr. Bar. 54 14 u.ö.
[4] IV. Esra 8 56; 9 10; vgl. syr. Bar. 44 7; 54 14.
[5] IV. Esra 7 79; 8 56.
[6] IV. Esra 7 24.
[7] syr. Bar. 48 17.
[8] syr. Bar. 44 14.
[9] äth. Hen. 99 2.
[10] IV. Esra 7 24. 37. 81.
[11] Zum psalmenartigen Aufbau dieses Kap. vgl. Jansen, Die spätjüdische Psalmendichtung, S. 38 f.

Glauben dir und deinem Gesetz unterworfen haben." Hier scheinen also beide Begriffe direkt konvertierbar zu sein. Das gilt in diesem Grade freilich nicht durchgehend, und auf keinen Fall darf daraus auf eine Identität der Begriffe geschlossen werden. Aber andererseits ist dem Befund im ganzen zu entnehmen, daß das Gesetz verklammert ist mit einer Reihe bestimmter anderer Begriffe. An dieser Begriffsreihe ist einmal auffällig, daß „Weisheit" am häufigsten belegt ist, zum anderen aber dies, daß diese Reihe auf den Begriff „Gott" hin zu konvergieren scheint. Das zeigt sich besonders darin, daß nahezu alle Begriffe durch ein Possessivpronomen mit „Gott" verbunden sind und daß sogar „Gott" selbst in diese Reihe, und zwar in ganz ausgeprägter Weise, hineingestellt wird.

Für die Frage nach dem Gesetzesverständnis ergibt sich daraus, daß das Gesetz offenkundig in engstem Zusammenhang mit der ihm parallelen Begriffsreihe zu sehen ist. Und die Bedeutung des Gesetzes wird daher wesentlich erhellt werden können von der Frage nach der Bedeutung der Begriffe aus dieser Reihe.

Beginnen wir mit den „Wegen Gottes". In unserem Zusammenhang heißt es, daß die Sünder diese Wege „aufgeben" oder „vernachlässigen" (IV. Esra 8 56) und sie „nicht bewahren" (IV. Esra 7 79). An weiteren Stellen im IV. Esra taucht aber der Begriff erneut auf, und zwar in einem völlig anderen Kontext. In der ersten Vision beruft sich der Seher in einer ausführlichen Darstellung auf die Heilsgeschichte (3 4ff), schildert sodann das politische Mißgeschick Israels als Folge der Sünde (3 25ff), um dann jedoch mit dem Hinweis auf die noch größere Sünde der siegreichen Völker die Frage nach dem Grund dieses Geschichtsverlaufs zu stellen (3 30ff). Und ebendieser Geschichtsverlauf mit seinem verborgenen Grund wird hier als „Weg Gottes" bezeichnet, und zwar schon vom Seher selbst (3 31); der Begriff wird in der Rede des angelus interpres zweimal in diesem Sinne aufgenommen (4 2.11). Einzelheiten aus diesem Abschnitt sind für unseren Zusammenhang zunächst ohne Gewicht. Wir beschränken uns auf die Feststellung, daß der Begriff der „Wege Gottes" an zentraler Stelle in der Geschichtsvorstellung verwurzelt ist.

Ist aber einmal das Augenmerk auf die Geschichtsvorstellung gerichtet, so ergibt sich sofort, daß auch andere Begriffe der mit dem Gesetz parallelen Reihe in ebendiesen Vorstellungsbereich gehören. Das ist ganz eindeutig für das „Gericht", das in der apokalyptischen Tradition das Ende der Geschichte bezeichnet. Und das ist ebenso eindeutig für die „Verheißungen", die sich durchgehend auf die

Errettung aus der so unheilvollen Geschichte beziehen. Wie sich noch zeigen wird, gehört auch die „Gnade", da sie auf das engste mit der „Erwählung" verbunden ist, in den gleichen Zusammenhang. Und erst recht ist ohne jeden Zweifel, daß Gott, der in der Apokalyptik ganz wesentlich der Gott des Geschichtshandelns ist, in ebendiesem Zusammenhang gesehen werden muß. Problematischer ist allein der Begriff „Weisheit".[1] Aber hier genügt für unseren Zusammenhang, daß im syr. Bar., wo der Begriff am häufigsten belegt ist, die „Weisheit" einerseits direkt mit dem Gesetz identisch ist[2] und andererseits eine eschatologische Heilsgabe darstellt.[3] Ebenso liegt äth. Hen. 99 2 eine direkte Identität der Begriffe „wahrer Glaube" und „Gesetz" vor.[4]

Das Ergebnis ist demnach, daß alle Begriffe, die mit dem Gesetz parallel stehen – sofern sie nicht direkt mit ihm gleichsinnig sind –, unmittelbar in den Zusammenhang der apokalyptischen Geschichtsvorstellung gehören. Sie sind wesentlich verklammert mit dem apokalyptischen Bild der Geschichte und bezeichnen in diesem Zusammenhang fest umrissene Größen, die eine bestimmte Bedeutung und Funktion im Ablauf dieser Geschichte haben. So bezeichnen das „Gericht" das Ende, die „Verheißungen" und die „Weisheit" die Heilsgaben, die „Gnade" die Erwählung, „Gott" den Lenker der Geschichte und „seine Wege" ihren Verlauf. Von daher darf man sagen, daß es sich um wesentlich „geschichtliche" Begriffe handelt. Steht aber nun das Gesetz in ebendieser Reihe, so ist mehr als wahrscheinlich, daß es seine Bedeutung im gleichen Zusammenhang hat, daß auch das Gesetz ein in diesem Sinne „geschichtlicher" Begriff ist.

Ein weiterer Hinweis auf diesen Zusammenhang ist den sog. „astronomischen Texten" des äth. Hen. zu entnehmen. Hier finden sich, und zwar in einiger Häufung, ebenfalls die Begriffe ሥርዓት፡ und ትእዛዝ፡.[5] Sie bezeichnen nach der üblichen Übersetzung die „Gesetze der Himmelslichter". Ihr Inhalt ist ein detailliertes Kalendarium.[6]

---

[1] Hier zeigt sich wieder der Zusammenhang des apokalyptischen Verständnisses mit dem der Weisheitsliteratur, aber gerade an dieser Synonymik werden zugleich die Unterschiede deutlich. Während in der Weisheitsliteratur das Gesetz als Weisheit interpretiert, ihr also unter- und zugeordnet wird (vgl. besonders Sir. 24 23 ff.), gilt für die Apokalyptik genau die Umkehrung: der zentrale Begriff ist das Gesetz, zu seinem Verständnis wird auf die Weisheit – unter anderem! – verwiesen (vgl. z.B. syr. Bar. 44 14).

[2] Vgl. syr. Bar. 48 24.

[3] Vgl. syr. Bar. 54 13.

[4] Vgl. dazu unten S. 79.

[5] ሥርዓት፡ 79 1. 2; 80 7; 82 9. 10; ትእዛዝ፡ 21; 33 4; 72 2. 35; 73 1; 74 1; 76 14; 80 6. Außerdem finden sich beide Begriffe noch im Zusammenhang mit gefallenen Engeln, die ein Gebot oder einen Befehl Gottes übertreten haben: 18 15; 20 5; 21 6; 106 14.

[6] Kap. 72 ff.

Die Übersetzung mit „Gesetz" läßt sich allerdings nicht in jedem
Falle durchführen. Häufig ist die Wiedergabe durch „Ordnung"
angemessener,[1] jedoch ist der Sache nach keineswegs eine „lex
naturae rerum insita"[2] oder eine griechisch verstandene kosmische
τάξις gemeint. Den Hintergrund dieser Ordnungen bildet vielmehr
ein hierarchisches System von Engeln, das den befohlenen Gang der
Himmelskörper überwacht und garantiert.[3] Weil dieses Heer, die
„dienstbaren Geschöpfe" (75 3) und die „Führer der Sterne des
Himmels, alle die, die sie drehen" (80 1), dem ihnen auferlegten
Gebot gehorsam sind, deshalb kann von einem „Gesetz der Himmelslichter" und von einer „Ordnung" gesprochen werden. Dieses
kosmologische Gesetz ist nun von vornherein darauf angelegt, innerhalb der Geschichte und nur darin gültig zu sein. Geradezu das
erste, was Henoch an astronomischen Daten erfährt, ist die zeitliche
Begrenzung der Gesetze:

„...wie es sich mit all ihren Gesetzen, mit allen Jahren der Welt und bis in
Ewigkeit verhält, bis die neue ewig dauernde Schöpfung geschaffen wird."(72 1)

Mit dem eschatologischen Akt endet auch die Funktion der kos-
mischen Ordnungen, ja die Auflösung dieser Ordnungen gehört zu
den wesentlichen Kriterien des Eschaton hinzu (80 2 ff.). So zeigt
sich auch im kosmologischen Bereich die grundlegende Verfloch-
tenheit des göttlichen Gesetzes mit der Geschichte. Daß dieser kosmologische Sachverhalt mit demselben Begriff bezeichnet wird wie
das göttliche Gesetz vom Sinai, kann nicht verwundern. Es wäre
gewiß falsch, die moderne Unterscheidung von Natur und Geschichte zu unterstellen; hier ist offenbar eine sachliche Einheit gedacht
worden, innerhalb derer die mythische Hypostasierung der Himmelskörper den Gehorsam und die Gesetzestreue abzubilden vermag
(vgl. Kap. 2 ff.).

Am Anfang dieses Abschnittes hatte sich gezeigt, daß die Texte
auf die Frage nach dem Inhalt des Gesetzes keine Antwort geben.
Die Bedeutung des Gesetzes für die apokalyptische Tradition liegt
offenbar nicht in der Explikation seines Inhaltes. Steht nun das
Gesetz in engstem Zusammenhang mit Begriffen aus dem Bereich
der Geschichte, so ist jetzt die Frage zu stellen, ob die Bedeutung
des Gesetzes in einer bestimmten geschichtlichen Funktion liegt,
und weiter, worin diese Funktion des Gesetzes besteht.

[1] z.B. 21; 80 7.
[2] Dillmann, Lexicon, s.v.
[3] Vgl. 72 1; 75 1. 3; 80 1. 6; 82 10 ff.

II. Das Geschichtsbild

1. *Die Geschichte als Verwirklichung des göttlichen Planes*

Bereits seit den Veröffentlichungen über die jüdische Apokalyptik durch Gfrörer, Hilgenfeld und Dillmann[1] ist bekannt, daß in diesen Texten ein bestimmtes Geschichtsverständnis wesentliches und zentrales Thema ist.[2] Und zwar geht es bei diesem Thema nicht allein um die Zukunft und die Eschatologie, im Bestreben, „für die Erfüllung der jüdischen Zukunftshoffnung das Wann und das Wie festzustellen".[3] Das Thema ist vielmehr die Geschichte im ganzen.[4] Dies zeigt sich besonders deutlich an Texten, bei denen der Ablauf der Geschichte ganz im Vordergrund steht. Es empfiehlt sich daher, zunächst von solchen Texten auszugehen.[5]

Der Seher erlebt visionär den Ablauf der Geschichte.[6] Da dieser Seher stets eine Gestalt der Vergangenheit ist – der pseudepigraphe Stil ist ein durchgehendes Traditionselement –, sieht er die Geschichte großenteils als künftige. Eine solche Vision, die sich für den Rückblick von der Gegenwart her ohne weiteres als richtig erweist, ist nur dann möglich, wenn der Ablauf der Geschichte bereits festgelegt war. In seiner Vision errät der Seher nicht die zufälligen Ereignisse der Zukunft, sondern er sieht die Geschichte nach einem genau bestimmten Plan abrollen. Die Geschichte ist „determiniert".[7]

Aber der Seher sieht nicht allein die für ihn künftige Zeit. Die Vision umgreift sehr häufig auch Geschehnisse, die für ihn bereits

---

[1] Gfrörer, Geschichte des Urchristentums, 2 Bde, 1838; Hilgenfeld, Die jüdische Apokalyptik in ihrer geschichtlichen Entwicklung, 1857; Dillmann, Das Buch Henoch, 1853.

[2] Zur alttestamentlichen Vorgeschichte der Apokalyptik vgl. jetzt O. Plöger, Theokratie und Eschatologie, Neukirchen, 1959.

[3] Smend, Über jüdische Apokalyptik, ZAW 5, 1885, S. 222.

[4] Vgl. dazu: Sabatier, L'Apocalypse juive et la philosophie de l'histoire, Rev. des études juives, 40, 1900, actes et conf. S. LXVff.; Behm, Johannesapokalypse und Geschichtsphilosophie, Z. syst. Theol. 2, 1924, S. 323ff.; Oepke, ThWB III, S. 581; H.D. Wendland, Geschichtsanschauung und Geschichtsbewußtsein im Neuen Testament, 1938, S. 16ff.; Beek, Inleiding, S. 73.

[5] Zu diesen „Geschichtsapokalypsen" im engeren Sinne gehören besonders die Visionen des Danielbuches, ferner die Siebzighirtenvision äth. Hen. 85–90, die Zehnwochenapokalypse äth. Hen. 93 und 91 12–17, die Apokalypse Test. Lev. 16–18, das Adlergesicht IV. Esra 11f., die Wolkenvision syr. Bar. 53–71, die Cedernvision syr. Bar. 35–40, und weiter Ass. Mos. 2–10 und Apok. Abr. 27ff.

[6] Terminologisch werden für die Einleitung der Vision חזה und seine Äquivalente gebraucht, vgl. Dan. 7 2. 9. 13; äth. Hen. 18 1ff.; 73 1; 85 1; 86 1; 87 1; 88 1; Test. Lev. 2 5; IV. Esra 11 2ff.; 13 3; syr. Bar. 36 1; 53 1. 4; u.ö.

[7] Volz, Eschatologie, S. 6; Vgl. auch die allerdings kaum weiterführenden Bemerkungen bei Rissi, Zeit und Geschichte in der Offenbarung des Johannes, S. 149ff.

Vergangenheit waren.[1] Der Beginn jener geschichtlichen Zeit, die
Inhalt der Vision ist, kann demnach nicht gleichgültig sein. Die
Vision will offenbar nicht nur den Ausschnitt aus einer größeren
und umfassenderen Zeitspanne wiedergeben, sondern eine bestimmte Geschichte von Anfang bis Ende, und das heißt eine ganze und in
sich abgeschlossene Geschichte. Ihr Ende findet sie stets im eschatologischen Akt. Ihren Anfang bildet entweder Adam[2] oder das
erste der großen Weltreiche, das direkt mit der Urflut aus dem
Schöpfungsmythus in Verbindung gebracht werden kann. So in
Dan. 7 2 f.:

„Ich, Daniel, schaute bei Nacht ein Gesicht,
und siehe, die vier Winde des Himmels erregten das große Meer,
und es stiegen vier große Tiere aus dem Meere herauf, ein jedes verschieden vom
anderen."[3]

Die Vision umfaßt hier die Weltgeschichte überhaupt und bringt
sie in einen geschlossenen, alles umgreifenden Rahmen.[4] Als Einzelzug dieser Vorstellung ist dabei bemerkenswert, daß in einigen
Texten die Sintflut ein offenbar einschneidendes Ereignis ist, das das
Geschehen vorher und nachher deutlich unterscheidet.[5] So entsteht
der Eindruck, als solle hier eine „Vorzeit" dem Folgenden voran-
gestellt werden, wobei freilich alles vom Rahmen der Geschichte
umgriffen bleibt. Daß die Geschichte wesentlich eine Einheit sei,
steht überall deutlich im Vordergrund des Interesses. Dieses Interesse
zeigt sich gerade auch an solchen Texten, die nicht den Anfang der
Welt als Anfang der Geschichte explizieren, sondern unbestimmter
mit einem „Weltreich" beginnen.[6] Sie beschreiben stets die Geschichte als Ganzes.

Denn Gegenstand der visionären Geschichtsschau sind nicht die
bruta facta der Geschichte. Es sind vielmehr Bilder und Chiffren.

---

[1] So besonders in der Siebzighirtenvision äth. Hen. 85 3–87 2 (Beer in Kautzsch II,
S. 289 Anm.h meint – zu Unrecht – daß Henoch damit „aus der Rolle des Apokalyp-
tikers" falle), vgl. ferner syr. Bar. 35 1 ff. u.ö.

[2] Vgl. äth. Hen. 85 3; 93 3; syr. Bar. 565.

[3] Vgl. dazu: Noth, Geschichte Israels, S. 355 und Bentzen, Kommentar z. St.; Vgl.
IV. Esra 11 2.

[4] Hierher gehört ebenfalls das 70-Wochenschema in Test. Lev. 16–18, und wohl auch
Ass. Mos., wo die Geschichte mit dem Auszug aus Ägypten beginnt, 2 1.

[5] In der Siebzighirtenvision werden die Israeliten erst nach der Flut zu „Schafen",
die sie dann die ganze Geschichte hindurch bleiben, äth. Hen. 89 12 ff. Mit dieser Vision
eng verklammert (vgl. 83 1 f.; 90 42) ist das Sintflutgesicht, bei dem ein Gebet für das
Schicksal der folgenden Geschlechter im Mittelpunkt steht (83 8; 84 1 ff.). – In der
Zehnwochenapokalypse wird die Sintflut als das „erste Ende" bezeichnet, 93 4. – Besonderes Gewicht, sogar exemplarische Bedeutung wird der Sintflut in den noachitischen
Teilen des äth. Hen. zugemessen (vgl. 67 12), auf die hier jedoch nicht näher eingegangen
werden kann.

[6] Vgl. IV. Esra 11 1 ff.; syr. Bar. 35–40; Dan. 2 und 9.

Der Seher erfährt nicht konkrete geschichtliche Daten, und er sieht nicht unmittelbar die Ereignisse und die daran beteiligten Völker. Sondern er sieht Tiere, Tiergruppen und Naturereignisse in geheimnisvollen Zusammenhängen und Entwicklungen. Und er sieht ferner nicht eine fortlaufende und überall gleiche Zeit, sondern streng geschiedene Perioden und Abschnitte.[1] Ein charakteristisches Beispiel bietet dafür die „Zehnwochenapokalypse":[2]

„Ich bin als der Siebente in der ersten Woche geboren...
Nach mir wird in der zweiten Woche große Bosheit emporkommen...[3]
Danach wird am Ende der dritten Woche ein Mann als Pflanze des gerechten Gerichts erwählt...[4]
Danach werden am Ende der vierten Woche die Gesichte der Heiligen und Gerechten gesehen...[5]
Danach wird am Ende der fünften Woche das Haus der Herrlichkeit und Herrschaft für immer gebaut...[6]
Darauf werden in der sechsten Woche alle in ihr Lebenden erblinden...[7]
Danach wird sich in der siebenten Woche ein abtrünniges Geschlecht erheben...[8]
Danach wird eine andere Woche, die achte, die der Gerechtigkeit anheben, und ein Schwert wird ihr verliehen werden...[9]

Der Inhalt der Vision ist demnach ein mythologisches Bild der Geschichte. Es ist entstanden durch die Aufnahme von Mythen auf dem religionsgeschichtlichen Umkreis und deren „Anwendung" auf eine bestimmte Geschichte, nämlich die Geschichte Israels.[10] Und in ebendiesem „Geschichtsbild" liegt nun ein Mehr gegenüber den bruta facta. Durch die mythologischen Vorstellungen wird sichtbar, was sonst nicht in den Blick kommen könnte: die Einheit der Geschichte, der Zusammenhang der Geschehnisse, ihr sinnvoller Ablauf und ihr Ziel. Im Rahmen des mythologischen Bildes gewinnen dessen Bestandteile – die Weltreiche, die Perioden, die Fabeltiere und die Naturereignisse – ihren Sinn allein darin, die einzelne Episode als Teil eines umfassenden Ganzen deutlich zu

[1] Vgl. dazu Stauffer, Das theologische Weltbild der Apokalyptik, Z. syst. Theol. 8, 1930–31, S. 208.
[2] äth. Hen. 93 und 91 12–17; richtiger würde der Text als „Siebenwochenapokalypse" bezeichnet; denn er teilt die Geschichte in „sieben Wochen" ein, drei weitere gelten dem eschatologischen Akt.
[3] Der Fall der Engel(?)
[4] Abraham.
[5] Der Auszug aus Ägypten.
[6] Der Tempel.
[7] Die Reichsteilung.
[8] Die Gegenwart des Verfassers.
[9] Der Beginn des eschatologischen Aktes.
[10] Vgl. zur Herkunft der Mythen: Bousset-Greßmann S. 506; Gunkel, Schöpfung und Chaos, S. 323; Meyer, Ursprung und Anfänge, II, S. 189ff.; Hooke, The myth and ritual pattern in Jewish and Christian apocalyptic, in: The Labyrinth, 1935; Jansen, Die Henochgestalt, 1939; Frost, Old Testament apocalyptic, S. 32ff.; Noth, Das Geschichtsverständnis der alttestamentlichen Apokalyptik, 1954.

machen. Dieses Ganze der Geschichte ist das Thema der Vision, das allein in der mythologischen Vorstellung zur Sprache kommen kann. Dies zeigt sich besonders am Gegenüber zu den oftmals angehängten „Deutungen".[1] Hier werden dem Seher die bruta facta mitgeteilt, die, für sich genommen, nicht mehr sind als eine bloße Aufzählung zusammenhangloser Daten. An ihnen wird nichts von dem deutlich, was die Vision gerade aussprechen will. Nur als mythologisches Bild kann der Seher über den bloßen Ablauf der Zeit hinaus die geschlossene und zielgerichtete Einheit des Geschehens als Geschichtszusammenhang erfassen.[2]

Als wesentlich für dieses Bild der Geschichte sind also zwei Voraussetzungen hervorzuheben. Das ist einmal die Vorstellung der „Einheit", also ein Verständnis, das es ermöglicht, die Geschichte als ein Ganzes und im ganzen zu überschauen. Es gibt demnach einen umgreifenden Rahmen, aus dem kein Geschehen ausgeschlossen bleibt. Und zum anderen ist es die Vorstellung eines zielgerichteten Ablaufs der Geschichte, eines Ablaufs also, in dem jedes Geschehen seinen bestimmten Ort hat, in dem es daher ein genau festgesetztes Nacheinander der Ereignisse gibt, und der im Ganzen auf sein Ende im eschatologischen Akt hin angelegt ist. Es ist der göttliche Plan, der der Geschichte zugrunde liegt und der ihren Ablauf bestimmt. In diesem göttlichen Plan gründet sowohl die Einheit der Geschichte wie die Bestimmung der einzelnen Ereignisse. Indem der Seher diese Einheit und den festgelegten Ablauf beschreibt, erfaßt er den Plan Gottes, der sich als Geschichte verwirklicht.

Dieser göttliche Plan liegt bereits fest, wenn der Seher ihn kennenlernt. Er ist im Himmel fixiert, und zu seiner Mitteilung bedarf es nicht der unmittelbaren Begegnung mit Gott. Das zeigt sich darin, daß meist ein angelus interpres im Besitz des Wissens ist, das er an den Visionär weitergibt. Ein zusammenfassendes Beispiel, das alle Arten der Mitteilung an den Seher aufzählt, bietet die Einleitungsformel der Zehnwochenapokalypse:

„...was mir in dem himmlischen Gesicht gezeigt worden ist
und was ich durch das Wort der heiligen Engel weiß
und aus den himmlischen Tafeln gelernt habe" (äth. Hen. 93 2).

Beachtet man nun, auf welche Weise sich der eigentliche Ablauf

---

[1] Vgl. IV. Esra 12 7 ff.; syr. Bar. 56 1 ff.; u.ö.

[2] Es soll natürlich nicht behauptet werden, daß es sich dabei um die bewußte Wahl einer Stilform zum Zweck einer bestimmten Interpretation handelt, in dem Sinne, daß auch andere Möglichkeiten zur Aussage derselben Sache bestanden hätten. Wahrscheinlich hat die Rezeption der Mythen ihren Ursprung in einer besonderen geschichtlichen Situation.

der Geschichte vollzieht, so fällt sofort die völlige Passivität des Menschen auf. Die Menschen und Völker erleiden gleichsam ihr Geschick, und zwar selbst da, wo sie durchaus zu aktivem Handeln berufen sind, wie etwa die Philister in der Siebzighirtenvision (äth. Hen. 89 42 ff.). Nicht nur die Abfolge der Perioden, auch die einzelnen Ereignisse treten unabhängig von menschlicher Initiative ein; in den Ablauf der Geschichte vermag kein Mensch von sich aus einzugreifen.[1]

Aber diese Feststellungen bedürfen einer Ergänzung. Zunächst zeigt gerade die Passivität aller unmittelbar am Geschehen Beteiligten, daß die Impulse ihnen von außen her zukommen. Zeitpunkt und Art dieser Impulse liegen zwar im göttlichen Plan fest; aber sie müssen doch jeweils zu ihrer Zeit und an ihrem Ort erst gegeben werden. Und in diesem Zusammenhang ist eindeutig, daß Gott selbst der in solchem Sinne Handelnde ist. An vielen Stellen wird das auch explizit formuliert: Gott schlägt die „Wölfe" (die Ägypter, äth. Hen. 89 20); er ruft und befiehlt den 70 Hirten (äth. Hen. 89 59); er macht ein Gesetz für die Sünder (äth. Hen. 93 4); er beauftragt seinen Engel (syr. Bar. 63 6); er gibt dem König etwas ins Herz (Ass. Mos. 4 6).[2] Und besonders deutlich wird schließlich das Handeln Gottes im eschatologischen Akt.[3] Im Blick auf den göttlichen Geschichtsplan zeigt sich darin, daß er wesentlich der Plan des göttlichen Handelns in der Geschichte ist. Und auf diesem Handeln Gottes liegt ein nicht zu übersehender Ton. Es gehört wesentlich zum Plan der Geschichte hinzu, daß er jeweils durch das immer wieder neue Eingreifen Gottes verwirklicht wird. Mit dem Begriff „Geschichtsplan" ist die Sache deshalb noch nicht richtig getroffen. Es ist vielmehr der Plan des göttlichen Handelns. Nicht der mechanische Ablauf von selbständigen Ereignissen ist in diesem Plan festgelegt, sondern das Handeln Gottes mit Menschen und Völkern im Ablauf der Zeit.[4]

Diese Vorstellung vom feststehenden Plan des göttlichen Geschichtshandelns liegt durchgehend allen apokalyptischen Texten zugrunde, und zwar auch da, wo nicht die Geschichte selbst the-

---

[1] Vgl. Volz, Eschatologie, S. 6: „Der menschliche Faktor, das aktive Handeln ist getilgt."

[2] Vgl. ferner: äth. Hen. 89 45–54; syr. Bar. 54 1 u.ö.

[3] Vgl. z.B. äth. Hen. 90 18. 29; Test. Lev. 18 1; syr. Bar. 70 7; Ass. Mos. 10 3 u.ö.

[4] Deshalb trifft das Urteil Glatzers (Geschichtslehre der Tannaiten, S. 20 zu IV. Esra) nicht zu: „Von da aus gesehen erscheint der Plan Gottes, von dem immer wieder die Rede ist, als etwas Starres, von einer blinden Notwendigkeit geleitet und Gott selbst nur als Verwalter dieser Notwendigkeit." Ebenso Volz, Eschatologie, S. 141: „...es verläuft alles mit der Notwendigkeit einer Maschine."

matisch ist. Mehr oder weniger explizite Hinweise auf den göttlichen Plan sind häufig. So heißt es in den Bilderreden des äth. Hen.:
„Er weiß, was die Welt ist, bevor sie geschaffen wurde, und was
sein wird von Geschlecht zu Geschlecht" (39 11), und in den Paränesen: „Der Heilige hat für alle Dinge Tage bestimmt" (92 2), im
IV. Esra: „In zwölf Teile ist die Weltgeschichte geteilt" (14 11),
und im syr. Bar.: „Der Höchste hatte sie ehedem geteilt, weil er
allein weiß, was sich ereignen wird" (69 2).[1]

Der Satz, daß Gott seinem Plan entsprechend die Geschichte bis
hin zu jedem Ereignis lenkt, und daß er, indem er seinen Plan
verwirklicht, in jedem Geschehen selbst handelt, ist die schlechthin
wesentliche Voraussetzung des apokalyptischen Denkens. So kann
es kein Ereignis in der Geschichte geben, das diesem Plan nicht
unterworfen wäre und das darin nicht seinen bestimmten Platz
hätte.

Dieser Plan des göttlichen Handelns in der Geschichte wird in der
apokalyptischen Vision sichtbar. Jedoch, nach Angaben über den
Grund dieses Planes, nach einer Antwort auf die Frage, warum er
so und nicht anders verläuft, sucht man in den „Geschichtsapokalypsen" vergeblich. In anderem Zusammenhang wird die Frage
gestellt und in bestimmter Weise beantwortet.[2] Aber hier ist der
Blick zunächst nicht auf den Grund und das Wesen des Planes gerichtet, sondern auf die Proklamation seiner Realität. *Dass* es diesen
Plan des göttlichen Handelns in der Geschichte gibt und *dass* Gott
selbst ihn verwirklicht, ist das wesentliche Thema dieser Texte.[3]

2. Das Heil als Ziel der Geschichte

Innerhalb der apokalyptischen Tradition ist das Heil ein ausschließlich eschatologischer Begriff.[4] Der eschatologische Akt ist der
Beginn der Heilszeit, und mit ihm endet die Geschichte.

„Das Licht wird unaufhörlich sein
und die Tage, in die sie kommen, unzählbar;
denn die frühere Finsternis wird vernichtet,

---

[1] Vgl. ferner IV. Esra 14 5; syr. Bar. 54 1; Ass. Mos. 12 5; Apok. Abr. 26 5 u.ö.
[2] Vgl. dazu unten S. 73ff.
[3] Damit ist deutlich, daß das Jubiläenbuch nicht zur Gattung der Apokalypsen und
erst recht nicht zu den „Geschichtsapokalypsen" gerechnet werden kann. Nicht die
Weltgeschichte, sondern nur die Urzeit bis zur Landnahme (50 4) wird in 50 Jubiläen
geteilt. Das Thema ist nicht eine Periodisierung der Geschichte, sondern – im Zusammenhang einer radikalisierten Gesetzlichkeit – die Explikation eines bestimmten Kalenders.
Vgl. dazu Jaubert, Le calendrier des Jubilés etc., V.T. III, 1953, S. 250ff.; Kretschmar,
Himmelfahrt und Pfingsten, ZKG 66, 1954–55, S. 224; Morgenstern, The calendar of
the book of Jubilees etc., V.T. 5, 1955, S. 34ff.
[4] Der Begriff „Heil" wird hier nicht im engeren Sinne des שלום (ܫܠܡܐ ‪:‬ ܝܐܪ̈ܗ) der
Texte gebraucht, sondern im weitesten Sinne der damit gemeinten Sache.

und das Licht wird vor dem Herrn der Geister kräftig sein,
und das Licht der Rechtschaffenheit wird für immer vor dem Herrn der Geister
kräftig sein" (äth. Hen. 58 6).

„Weil jene Zeit das Ende dessen ist, was vergänglich ist,
und der Anfang dessen, was unvergänglich ist,
darum wird das, wovon vorher die Rede gewesen ist,
in ihr geschehen" (syr. Bar. 74, 2f).[1]

Das Heil ist dabei zunächst verstanden als der Besitz der Heilsgüter. Heilsgüter sind der paradiesische Lebensraum und die Gabe
ewigen oder langen Lebens;[2] aber darüber hinaus die Mitteilung
der göttlichen μυστήρια,[3] die Teilnahme an der göttlichen δόξα,[4]
und damit die Nähe Gottes selbst:

„Denn ich habe meine Gerechten gesehen
und sie mit Heil gesättigt
und sie vor mich gestellt" (äth. Hen. 45 6).
„...und sie beeilen sich, das Antlitz dessen zu schauen, dem sie im Leben gedient haben" (IV. Esra 7 98).[5]

Der Anbruch der Heilszeit bringt immer auch die Gegenwärtig-
keit Gottes, aus der alles Widergöttliche ausgeschlossen und der
Vernichtung anheimgegeben ist.[6]

Dieses Heil ist innerhalb der Geschichte nicht zugänglich. Es
bleibt in einer unerreichbaren Jenseitigkeit, die nur in einzelnen
und seltenen Entrückungen überschritten werden kann.[7] Für den
Blick von der Geschichte her ist das Heil allein das künftige. Aber
gerade von dieser Künftigkeit des Heils her empfängt nun die Geschichte wiederum ihren eigentlichen Sinn: sie ist Durchgang und
Weg auf das Heil hin. So heißt es Dan. 9 24:

„Siebzig Wochen sind bestimmt
über dein Volk und deine heilige Stadt,
bis der Frevel eingeschlossen
und die Sünde versiegelt
und die Schuld gesühnt..."[8]

---

[1] Weitere Belege passim.
[2] Vgl. äth. Hen. 90 29. 38; 91 16; IV. Esra 8 52 ff.; syr. Bar. 51 7 ff. u.ö. – Vgl. dazu
Bietenhard, Die himmlische Welt, S. 161 ff.
[3] Vgl. dazu G. Bornkamm, ThWB IV, S. 821 ff.
[4] Vgl. Dan. 12 3; äth. Hen. 38 4; 58 2 ff.; IV. Esra 7 97; syr. Bar. 51 10 f. u.ö., sowie G.
Kittel, ThWB II, S. 250.
[5] Vgl. ferner äth. Hen. 39 3 ff.; IV. Esra 7 91; syr. Bar. 51 11 f.
[6] Vgl. äth. Hen. 41 2; 91 12 ff.; Test. Lev. 18 1 ff.; syr. Bar. 54 21; Ass. Mos. 10 7 f. u.ö.
[7] Das wird von apokalyptischen Sehern gesagt, vgl. äth. Hen. 70 1; IV. Esra 14 9; syr.
Bar. 76 2 u.ö., aber auch Elia wird erwähnt, äth. Hen. 89 52; 93 8. – Zu äth. Hen. 70
vgl. van Andel, De structuur van de Henoch-Traditie en het Nieuwe Testament, 1955,
der im Grundsätzlichen die Thesen R. Otto's (Reich Gottes und Menschensohn, 1934,
S. 141 ff.) aufnimmt, aber ohne die Kritik z.B. Bultmanns daran (Th. R. N. F. 9, 1937,
S. 1 ff.) ernsthaft entkräftet zu haben.
[8] Zum Text vgl. Bentzen, Kommentar z.St.

Im IV. Esra wird das durch die Gleichnisse vom Meer, das nur durch den engen Fluß zu erreichen ist (7 1–5), und von der schwer zugänglichen Stadt (7 6–9) dargestellt. In Kontext stehen diese Gleichnisse innerhalb der Frage, warum Israel die Welt nicht besitzt (6 59) und wodurch es zu diesem Zustand gekommen ist. Für unseren Zusammenhang ist zunächst nur wesentlich, daß die Gleichnisse eben diesen jetzigen Zustand wiederspiegeln wollen. Und daraus ergibt sich einerseits die „Entwertung der Geschichte" zum bloßen Durchgang,[1] jedoch andererseits die enge, ja notwendige Zusammengehörigkeit von Geschichte und Heil. Gerade als künftiges ist das Heil an die Geschichte als das ihm Vorhergehende gebunden. Das Heil kann ohne die Vollendung der Geschichte nicht eintreten:

> „Et respexit Altissimus super sua tempora
> et ecce, finita sunt
> et saecula eius completa sunt" (IV. Esra 11 44).

Der Höchste muß auf den Stand des geschichtlichen Ablaufs sehen. Obwohl es gerade *seine* tempora und *seine* saecula sind, kann er sein eschatologisches Eingreifen nur in Rücksicht auf den Plan beginnen. Aber gerade auf dieses Eingreifen hin vollenden und erfüllen sich die Zeiten. So empfängt die Geschichte, indem ihr jede eigene und selbständige Bedeutung abgesprochen wird, ihren Sinn allein von ihrem Ende im Heil her. Nun war für die apokalyptische Tradition der Ablauf der Geschichte bewirkt durch Gottes planmäßiges Handeln. Indem Gott den geschichtlichen Ablauf der Zeit dem Ende zulenkt, dient sein Handeln immer schon dem künftigen Heil.

Den gewichtigsten Ausdruck hat dieses Verständnis in den Vorstellungen von der „Vorbestimmung" gefunden. Es ist grundlegend für den göttlichen Plan, daß er die Geschichte von vornherein begrenzt und damit auf das Ende hin ausrichtet. So vollzieht sich die Übergabe der Regentschaft an die 70 Hirten schon mit dem ausdrücklichen Hinweis auf das Gericht (äth. Hen. 89 59 ff.). Die Begrenzung der Geschichte kommt aber bereits in jeder Einteilung und Periodisierung überhaupt zum Ausdruck. Indem die Anzahl der Zeitabschnitte vom Anfang her bestimmt ist, ist vom gleichen Anfang her auch das Ende der Geschichte schon vorgegeben.[2] Entsprechend ist das Gericht schon von Anfang an bereitet:

---

[1] Glatzer, Geschichtslehre der Tannaiten, S. 17 braucht diese Formulierung in abwertendem Sinne und übersieht dabei, daß diese „Entwertung" aus der Zuordnung der Geschichte auf das künftige Heil hin entsteht.

[2] Vgl. die bei Volz, Eschatologie, S. 141 aufgeführten Stellen. Nach Volz ginge es dabei allerdings nur um „die Kunst, das Ende zahlenmäßig auszurechnen".

„Et quando Altissimus faciens faciebat
saeculum et Adam et omnes, qui ex eo venerunt,
primum praeparavit iudicium et
quae sunt iudicii" (IV. Esra 7 70).

Ebenso wie der Strafort, warten auch das Paradies und die Heilsgüter bereits auf ihre eschatologische Funktion:

„Diesen wohlriechenden Baum hat kein Fleisch die Macht anzurühren, bis zu
dem großen Gericht...
dann wird er den Gerechten und Demütigen übergeben werden" (äth. Hen. 25 4).

„Und so ist sie (sc. Jerusalem) schon jetzt bei mir bereitgehalten, ebenso wie
auch das Paradies" (syr. Bar. 4 6).[1]

So ist der göttliche Geschichtsplan von vornherein auf sein Ende
hin angelegt. Und mit dem eschatologischen Handeln Gottes beginnt die Heilszeit.[2] Daher muß von der Heilsgemeinde bereits
dasjenige Handeln Gottes, das den Geschichtplan verwirklicht und
dadurch den Anbruch des Heils allererst ermöglicht, als Heilshandeln verstanden werden.

3. *Die Erwählung als Bestimmung zum Heil*

Wesentlicher Teil des göttlichen Geschichtshandelns ist für die
apokalyptische Tradition die Erwählung.[3] Wir stellen die Frage
nach der Bedeutung dieser Erwählung für Israel zurück und fragen
hier nur nach der Vorstellung vom erwählenden Handeln Gottes.
In diesem Sinne bezeichnet „Erwählung" ein Geschehen am Anfang der Geschichte. Nach der Sintflut ist Abraham als „Pflanze des
gerechten Gerichts" erwählt worden;[4] Gott hat Abraham „erwählt",
weil er ihn „liebte", er hat Jakob „erkoren", und „Jakob wurde
zu einem großen Volk".[5] Sinn und Ziel dieser Erwählung sind

---

[1] Vgl. ferner äth. Hen. 39 3 ff.; 53 1 ff.; 90 29; Test. Lev. 18 10; IV. Esra 7 36; u.ö.
[2] Vgl. äth. Hen. 90 29; Test. Lev. 18 1; IV. Esra 6 18 f.; Ass. Mos. 10 3; u.ö.
[3] Helfgott, The doctrine of election in Tannaitic literature, 1954, befaßt sich nicht mit
der apokalyptischen Literatur. Aber der Satz: „The present, past and future of Israel
correspond directly with this particular relationship to God" (S. 1) gilt auch für die
apokalyptische Tradition. Die große Wirksamkeit der Erwählungsvorstellung zeigt sich
darin, daß sie selbst im hellenistischen Judentum von tragender Bedeutung blieb, vgl.
Dalbert, Die Theologie der hellenistisch-jüdischen Missionsliteratur, S. 137. – Schrenk
in ThWB IV, S. 175 und 188 ff. erörtert im Wesentlichen das Verhältnis der Erwählten
zu Gesamt-Israel.
[4] äth. Hen. 93 5.
[5] IV. Esra 3 13 ff.; auch syr. Bar. 57 2 beschreibt die Erwählung: „Denn zu jener Zeit
(sc. Abraham) war das geschriebene Gesetz bei ihnen nicht bekannt, und die Werke der
Gebote wurden (doch) damals erfüllt, und der Glaube an das künftige Gericht wurde
damals geboren, und die Hoffnung auf die Welt, die erneuert wird, wurde damals gebaut, und die Verheißung des Lebens, das nachher kommt, wurde gepflanzt."

eindeutig: Israel ist damit „die ewige Pflanze der Gerechtigkeit",[1] das Volk, dem Gott eine unfaßbare Liebe zugesagt hat.[2] Erwählung ist die Aussonderung Israels für das eschatologische Heil:

> „Dann wirst du glücklich sein, Israel,
> und auf Nacken und Flügel
> des Adlers hinaufsteigen" (Ass. Mos. 10 8).[3]

Als Folge dieser Erwählung wird alles Geschehen zum Bestandteil der Geschichte des erwählten Volkes. Israel ist überall das die Struktur der Geschichte bestimmende Zentrum. Von daher wird geschichtlichen Mächten und Ereignissen nur insofern Bedeutung zugemessen, als sie im Zusammenhang mit Israel stehen. Es ist der eigentliche Sinn aller dieser Mächte, daß sie auf das Geschick Israels denjenigen Einfluß nehmen, der dafür im göttlichen Plan vorgesehen ist. Irgendeine eigene Geschichte haben die Mächte und Völker nicht. In der Siebzighirtenvision treten sie als Raubtiere plötzlich und unvermittelt in Erscheinung, um Israel zu bedrängen, da Gott es so bestimmt hat, und ebenso verschwinden sie wieder.[4] In der Zehnwochenapokalypse werden die Völker selbst gar nicht genannt, sondern lediglich ihr Einwirken auf Israel: der Tempel wird verbrannt und das Geschlecht der auserwählten Wurzel zerstreut.[5] Im IV. Esra wird zwar nach dem Grund dieser Bedrängung und Unterdrückung gefragt; aber die Völker sind gerade als die siegreichen Bedränger ein „Nichts", sie sind wie der „Speichel" und der „Tropfen am Eimer" (6 56). Es geht in der Geschichte immer nur um das erwählte Volk; und das Schicksal Israels ist ihr beständiger Mittelpunkt.[6] Und weil diese Geschichte für das erwählte Volk auf das Heil hin zuläuft, bedeutet die Herrschaft der

---

[1] äth. Hen. 93 5; vgl. 10 16; 84 6. Man beachte, wie häufig der Begriff der „Pflanze" (ትክስ :) im Zusammenhang der Erwählungsvorstellung auftaucht.

[2] IV. Esra 5 40; vgl. 5 33.

[3] Weitere Belege passim. Daß es Israel ist, dem das eschatologische Heil gilt, zeigt sich besonders deutlich an der Vorstellung der endzeitlichen Sammlung und Heimkunft aller verstreuten Juden, vgl. dazu äth. Hen. 57, wo die gesamte Diaspora aus allen Richtungen herbeiströmt, ferner IV. Esra 13 39 u.ö.

[4] äth. Hen. 89 55 ff.; vgl. auch 89 13 ff. 42 f.

[5] äth. Hen. 93 8; ähnlich Test. Lev. 17 1 ff.

[6] Vgl. Oepke, Das neue Gottesvolk, 1950, S. 132. In gleichem Sinne auch Dahl, Das Volk Gottes, S. 81, der sich von daher mit Recht gegen die Unterscheidung einer „traditionell-nationalen" und einer „apokalyptisch-universalen" Eschatologie bei Baldensperger (Die messianisch-apokalyptischen Hoffnungen des Judentums, 3. A. 1903) und Bousset-Greßmann (vgl. S. 202 ff.) wendet. Auch Volz, Eschatologie, S. 63, schließt sich dieser unzutreffenden Unterscheidung an, vgl. dagegen Schrenk, ThWB IV, S. 189. Umfassendes Material gegen die Unterscheidung findet sich bei Messel (Die Einheitlichkeit der jüdischen Eschatologie, 1915), der allerdings kaum zu Recht jede Veränderung der altisraelitischen Vorstellungen in der Apokalyptik leugnet.

Völker keine prinzipielle Bedrohung der Existenz Israels. So stark die Bedrängungen und Unterdrückungen immer sein mögen, zu einer Vernichtung Israels kann es niemals kommen (vgl. IV. Esra 12 47). Denn für den eschatologischen Akt ist die Unterwerfung oder Beseitigung gerade der geschichtlichen Mächte und Völker bereits vorgesehen:

„Es wird nämlich danach eine Zeit kommen,
und dein Volk wird in solche Drangsale gegeben werden, daß sie Gefahr laufen,
alle zugrunde zu gehen.
Doch werden sie im Gegenteil gerettet werden,
und ihre Feinde werden vor ihnen
zu Fall kommen" (syr. Bar. 68 2f.).

„Dies ist das vor dem Herrn der Geister festgesetzte Gericht über die Mächtigen,
die Könige, die Hohen und die,
welche das Festland besitzen" (äth. Hen. 63 12).[1]

Dem eschatologischen Unheil der Völker korrespondiert das Heil als Ziel der Erwählung Israels. Diese Erwählung begründet die Teilhabe Israels am eschatologischen Heil.[2] Eine andere Möglichkeit, zu diesem Heil zu gelangen, gibt es nicht.[3] Zwischen der Erwählung Israels und der Verwirklichung ihres Zieles vollzieht sich der Ablauf der Geschichte, die daher wesentlich bestimmt ist durch den Weg des erwählten Volkes auf sein Heil hin.

4. *Die Offenbarung als Kunde vom Heil*

Im eschatologischen Akt kommt das erwählte Volk in den Genuß der Heilsgaben. Die Bedeutung der überall hervortretenden gegenständlichen Rede von diesen Heilsgaben wird noch zu erörtern sein.[4] Hier ist zunächst das Augenmerk auf die Begrifflichkeit zu richten, mit der die Übergabe der Heilsgüter an die Heilsteilnehmer beschrieben wird.

„Ihnen werden wunderbare Dinge erscheinen zu ihrer Zeit;
denn sie werden die Welt sehen,
die ihnen jetzt unsichtbar ist,
und sie werden die Zeit sehen,
die jetzt vor ihnen verborgen ist" (syr. Bar. 51 7f.).

[1] Gemeint sind die Könige der Erde überhaupt, nicht nur etwa die Hasmonäer, vgl. Sjöberg, Der Menschensohn im äthiopischen Henochbuch, 1946, S. 37. – Vgl. ferner: äth. Hen. 38 5; 48 8; und das Ende der Weltreiche Dan. 7 11; IV. Esra 12 3; sowie Dan. 2 44; syr. Bar. 36 10 u.ö.

[2] Zu diesem Ziel gelangen freilich die Sünder nicht. Ihr Abfall ist immer zugleich ein Abfall von Israel, von dem zum Heil erwählten Volk.

[3] Die seltene Angabe, daß andere Völker nach dem Ende leben bleiben (syr. Bar. 72 3 ff.) bedeutet nicht, daß sie wie Israel am Heil teilhaben.

[4] Vgl. dazu unten S. 95 ff.

Am Ende der Zeit tritt der paradiesische Heilsort in Erscheinung.
„Die Stadt des Höchsten wird sich zeigen",[1] die Gemeinde der Gerechten „wird sichtbar",[2] das Paradies wartet darauf, daß die
Heilsgemeinde ihren Einzug hält.[3] Die Beispiele lassen sich beliebig
vermehren.[4] An ihnen wird eine Vorstellung deutlich, die oben
bereits im Zusammenhang der „Vorbestimmung" berührt wurde;
sie zeigt sich besonders prägnant an der Rede von den „Geheimnissen": „Die Geheimnisse sind die für die letzte Offenbarung bestimmten Ratschlüsse Gottes, das heißt die im Himmel schon real
existierenden, überschaubaren letzten Geschehnisse und Zustände,
die am Ende nur aus ihrer Verborgenheit heraustreten und offen
zum Ereignis werden."[5] Die Heilsgaben sind also immer schon vor-
handen. Aber sie bleiben im Ablauf der Geschichte ausschließlich
in der Jenseitigkeit der Nähe Gottes (vgl. besonders syr. Bar. 4 3)
und sind dem Menschen radikal verborgen. Indem sie dann im
eschatologischen Akt der Heilsgemeinde übergeben werden, gewinnt dieser Vorgang der Übergabe den Charakter der Offenbarung. Er wird deshalb weithin in der entsprechenden Terminologie beschrieben.[6]

Nun haben die Mysterien nicht allein das eschatologische Geschehen zum Inhalt. Sie sind darüber hinaus als der „verborgene
jenseitige Wirklichkeitsgrund der Dinge zu verstehen". „Das Seiende, das Geschehende und Zukünftige hat sein Wesen also nicht in
sich selbst, sondern im Himmel, da sind seine Geheimnisse schon
bereitet."[7] Obwohl also Welt und Geschichte ihren eigentlichen
Grund in den Geheimnissen haben, sind gerade innerhalb der Geschichte diese Geheimnisse nicht zugänglich. Vom Eschaton her
wird damit die Geschichte grundsätzlich zur Zeit der Verborgenheit, wobei diese Verborgenheit den Grund und den Sinn aller
Dinge überhaupt betrifft. Ein deutliches Beispiel bietet IV. Esra
4 9 ff:

„Nun aber habe ich dich nicht nach diesen Dingen gefragt, sondern nach Feuer,
Wind und Tag, durch die du hindurchgegangen bist, und ohne die du nicht sein

[1] IV. Esra 10 54; vgl. äth. Hen. 90 29; syr. Bar. 4 1ff.
[2] äth. Hen. 38 1; Vgl. 39 3 ff.
[3] IV. Esra 8 52; syr. Bar. 51 11.
[4] Vgl. besonders die Weisheit als Heilsgabe äth. Hen. 32 3; 48 1; 51 3; IV. Esra 8 52.
[5] G. Bornkamm, ThWB IV, S. 822; vgl. besonders den terminologischen Gebrauch
des „Sehens" äth. Hen. 38 1; 55 4; IV. Esra 7 91. 93. 94. 96. 97. 98. u.ö.
[6] G. Bornkamm, ebd., vgl. die dort angeführten Belege.
[7] G. Bornkamm ebd., S. 821, wo auf die zahlreichen Verbindungen hingewiesen wird,
in denen der Begriff „Geheimnis" begegnet: Geheimnis der Himmel, der Schöpfung,
des Aion etc.

kannst, und du hast mir nichts über sie gesagt. Und er (sc. der Engel) sprach zu
mir: du kannst die Dinge, die mit dir groß werden, nicht erkennen, wie sollte
dein Gefäß den Weg des Höchsten fassen können!"

Die Erkenntnis der Dinge dieser Welt ist wie die Erkenntnis der
Wege des Höchsten jetzt und hier nicht möglich, sie sind dem Menschen und auch dem apokalyptischen Seher verborgen. Die Möglichkeit solcher Erkenntnis haben erst die Heilsteilnehmer im eschatologischen Akt:

„Dann werden sie jenen engen Weg erblicken, welchen sie beschritten haben,
und wie er sie hat zum Leben gelangen lassen unter den Mühen, die sie auf sich
genommen haben" (IV. Esra 7 96 arab. Text).

Entsprechend ist das Heil die Zeit der enthüllten Geheimnisse.[1]
Heilsferne und Verborgenheit korrespondieren einander ebenso wie
Heil und Offenbarkeit. In der eschatologischen Offenbarung kommt
das göttliche Heilshandeln zu seinem letzten Ziel, indem es die
Geschichte beendet und damit zugleich ihren Sinn enthüllt.

Die apokalyptische Tradition kennt neben dem eschatologischen
Akt einen weiteren Zeitraum, in dem ein Offenbarungsgeschehen
möglich war. Dieser Zeitraum liegt am Anfang der Geschichte, er
gehört durchaus in sie und den umgreifenden Geschichtsplan hinein; aber er ist eben dadurch von der folgenden Zeit und der Gegenwart unterschieden, daß es in ihm bestimmte Offenbarungen gegeben hat.[2] Der Zeitraum beginnt bereits bei Adam, und er reicht
bis in die Zeit nach dem Exil.[3] Empfänger der einzelnen Offenbarungen sind jeweils ausgezeichnete Gestalten dieser geschichtlichen Periode.[4]

Der Inhalt dieser Offenbarungen hat seinen Niederschlag in den
einzelnen apokalyptischen Texten gefunden. Sie gelten im Wesentlichen, wie die eschatologische Offenbarung, dem Geschichtsplan
und dem Heil, und zwar im weitesten Sinne. Und auch sie können
unter dem Begriff „Geheimnis" zusammengefaßt werden.[5] Aber das
bedeutet nun keineswegs eine Vorwegnahme des eschatologischen

---

[1] Vgl. äth. Hen. 46 3; 51 3; Test. Lev. 18 6; syr. Bar. 51 8 u.ö.
[2] Vgl. Dahl, Das Volk Gottes, S. 82: „Die Offenbarung Gottes gehört der Vergangenheit und der Zukunft an..."
[3] Dieser Zeitraum entspricht ungefähr dem, den die ganze spätjüdische Theologie für
die Offenbarung festlegte, vgl. R. Meyer, ThWB III, S. 982, und Hölscher, Kanonisch
und apokryph, 1905, S. 36 ff.
[4] Im Wesentlichen erscheinen als Offenbarungsempfänger: Adam, Henoch, Abraham,
Isaak, die Jakobsöhne, Mose, Salomo, Elia, Hiob, Jesaja, Baruch, Daniel, Zephanja,
Esra, vgl. die Zusammenstellung der Texte bei Schürer, Geschichte, III, S. 258 ff.
[5] Vgl. äth. Hen. 68 1; IV. Esra 10 38; 14 6 (armen. Text).

Geschehens, vielmehr besteht hier ein tiefgreifender Unterschied. Während in der eschatologischen Offenbarung die Heilsgüter und Geheimnisse selbst unmittelbar zutage treten, wird durch die apokalyptischen Seher lediglich eine indirekte Kenntnis, ein symbolisches Wissen von den Geheimnissen vermittelt. Denn die Geheimnisse werden nur „unter verhüllenden Zeichen und Gesichten, in denen sich die kommenden Schicksale Israels und der Welt ankündigen, dem Apokalyptiker offenbart. Ihre Verkündigung geschieht selbst wieder in rätselhafter Weise, in der Gestalt von verhüllenden Orakeln, die selbst μυστήρια sind."[1] So wird die geschichtliche Verborgenheit des Wesens aller Dinge nicht aufgehoben. Die apokalyptische Offenbarung führt nicht in den unmittelbaren Besitz dessen, „was in Himmelshöhen ist" (IV. Esra 4 21), sondern sie verkündigt den Tatbestand, *dass* das Seiende und Geschehende seinen Grund nicht in sich selbst sondern im Himmel hat.

5. *Zusammenfassung*

Das bedeutsamste Kennzeichen des apokalyptischen Geschichtsentwurfs, von dem wir einige wesentliche Züge herausgestellt haben, ist fraglos dies, daß hier „die Geschichte" als Eines und als Ganzes in den Blick kommt. Der Ablauf der Zeit von der Schöpfung bis zum Eschaton wird als eine in sich geschlossene und überschaubare Größe verstanden und beschrieben. Diese Einheit der Geschichte wird freilich nicht als die Einheit ihrer einzelnen Fakten sichtbar. Sie kommt vielmehr allein im mythologischen Bild zum Ausdruck, indem die bruta facta nicht aus sich, sondern aus dem umgreifenden Zusammenhang des Ganzen verstanden werden. Und darin zeigt sich, daß das vergangene Geschehen nicht als einzelnes Ereignis angesehen wird, das für sich genommen eine Bedeutung hätte und auf diese Bedeutung hin befragt werden könnte. Im apokalyptischen Entwurf hat das einzelne Ereignis seinen Sinn allein vom umfassenden Rahmen der ganzen Geschichte her. Es hat seinen unauswechselbaren Platz im Ablauf der Zeit, aber ebendadurch ist es als es selbst bestimmt und von jedem anderen unterschieden. Im „Früher" oder „Später" des Bezugs zum Ganzen hat das einzelne geschichtliche Geschehen seinen Sinn. Diese Einheit der Geschichte hat für die apokalyptische Tradition ihren Grund im vorgegebenen göttlichen Plan, den Gott selbst durch sein Handeln in der Zeit verwirklicht. Das Ziel des Planes und damit des ihn verwirklichenden

---

[1] G. Bornkamm, ThWB IV, S. 822.

göttlichen Handelns ist das Heil des erwählten Volkes. Auf dieses
Heil am Ende der Geschichte hin ist alles schon vom Anfang her
angelegt. Deshalb ist das erwählte Volk die eigentliche Mitte des
gesamten geschichtlichen Geschehens. Freilich sind innerhalb der
Geschichte die „Geheimnisse" und darin das Wesen aller Dinge,
wie auch der Grund der Geschichte selbst, verborgen und unzugänglich. Erst indem sich in der eschatologischen Offenbarung das
Jenseits eröffnet, treten darin auch die „Geheimnisse" für die
Heilsgemeinde zutage. Das aber bedeutet das Ende der Geschichte.[1]

Der grundsätzliche Unterschied zwischen diesem apokalyptischen
Geschichtsentwurf und dem Geschichtsverständnis des pharisäischen
Rabbinats fällt sofort ins Auge. Dort war das einzelne Ereignis der
Vergangenheit als Beispiel für die Gegenwart von prinzipiell gleicher Struktur wie diese und jedes andere auch. Hier ist es gerade
wesentlich sowohl von der Gegenwart wie von jedem anderen Geschehen verschieden durch das allein bestimmende Moment der
Zeit im Ablauf des geschichtlichen Heilsplanes. Und war im Rabbinat „Geschichte" nichts anderes als eine Kette dieser stets gleichen
Episoden, die irgendwann einmal durch den Beginn des עולם הבא
beendet wird, so ist in der Apokalyptik die Geschichte ein von An-

---

[1] Ganz anders beurteilt offenbar Bultmann (Geschichte und Eschatologie, 1958) die
Geschichts-Interpretation der Apokalyptik. Für ihn ist durch die Apokalyptik gerade die
„Entgeschichtlichung der Geschichte" vollzogen (S. 35). Bultmann kommt zu diesem
Ergebnis an Hand einer Interpretation von Texten, die den eschatologischen Akt zum
Thema haben (IV. Esra 5 4 ff.; 7 32 ff., S. 31 ff.), und als entscheidendes Merkmal ergibt
sich ihm: „Die Geschichte bricht ab" (S. 33). Und weiter: „So läßt sich wohl sagen,
daß das Ende der Welt das Ziel der Geschichte ist, aber es ist nicht das dem geschichtlichen Gang eigene Ziel, sondern es ist Ziel als der Geschichte von außen, nämlich durch
göttliche Determination gesetztes Ziel" (S. 35). Hier ist zu fragen: was wäre denn ein
„dem geschichtlichen Gang eigenes Ziel" der Geschichte? Und was bedeutet der Satz,
daß durch das von außen gesetzte Ziel die Geschichte „entgeschichtlicht" werde?
Konsequenterweise könnte er nur besagen, daß das Ende der Geschichte „entgeschichtlicht" wird. Wenn indessen solche „Entgeschichtlichung" des Endes der Geschichte
als „Entgeschichtlichung" der Geschichte selbst bezeichnet wird, so fällt damit das
Urteil, daß in der Apokalyptik „die Geschichte nun von der Eschatologie aus interpretiert" werde (S. 30), auf den Interpreten zurück.
Vor allem ist jedoch zu bemerken, daß die von Bultmann hier herangezogenen Texte
in der Tat nicht ausreichen, um die apokalyptische Deutung der Geschichte zu erfassen.
Die Berücksichtigung der „Geschichtsapokalypsen" im engeren Sinne ist dafür unver-
meidlich, denn diese Texte machen unübersehbar deutlich, daß das Ganze und der
umgreifende Zusammenhang der Weltzeit als Geschichte im Vordergrund des theologischen Interesses steht. Freilich gehört zu diesem Ganzen wie sein Anfang, so auch sein
Ende unaufgebbar hinzu; und insofern hätte auch der Satz ein relatives Recht, daß hier
die Geschichte „von der Eschatologie aus" interpretiert werde. Sie wird, weil es um das
Ganze geht, *auch* von der Eschatologie aus interpretiert, womit aber nichts anderes
gekennzeichnet sein kann, als eben der Blick auf den Gesamtzusammenhang. Dieser
Gesamtzusammenhang aber wird verstellt, wenn einseitig sein Ende ins Auge gefaßt
wird, und das bedeutete, daß nicht nur die Geschichte, sondern auch die apokalyptische
Theologie von ihrer Eschatologie aus verstanden würde. Das ist bei Bultmann offenbar
der Fall.

fang an begrenzter Ablauf des Geschehens auf das eschatologische Heil hin. In engstem Zusammenhang damit tritt aber ein weiterer Unterschied hervor: in der pharisäischen Orthodoxie wurde das geschichtliche Ereignis wesentlich herangezogen für die Explikation der einzelnen Gebote, und in der Befolgung dieser Gebote gründete das Gottesverhältnis des Menschen. Im Geschichtsentwurf der Apokalyptik ist dagegen die Erwählung von zentraler Bedeutung, und sie allein ist der Grund für das Gottesverhältnis und damit für die Heilsteilnahme des Volkes. Und damit erhebt sich die Frage, worin für die Apokalyptik das Gottesverhältnis des einzelnen begründet ist. Aber bevor dem nachgegangen werden kann, ist zunächst die geschichtliche Bedeutung des Gesetzes ins Auge zu fassen.

III. Das Gesetz und der Heilsplan

a. Es hatte sich gezeigt, daß im apokalyptischen Geschichtsentwurf der Erwählung eine bestimmende Bedeutung zukam. Israel steht als erwähltes Volk im Gegensatz zu den Völkern im Zentrum der Geschichte, weil das Ziel allen Geschehens das Heil des einen Volkes ist. Erwählung heißt geschichtliche Bestimmung zum Heil.

Aber damit entsteht die Frage, in welcher Weise diese Erwählung nun für das Volk in seiner geschichtlichen Situation von Bedeutung ist, worin sich also das erwählende Handeln Gottes an seinem Volk konkretisiert. Fassen wir dazu die Aussagen über die Erwählung in ihrem Zusammenhang etwas näher ins Auge. Es heißt IV. Esra 5 27:

> „Aus der Menge der Völker hast du dir
> das eine Volk erworben,
> und das Gesetz, das unter allen erprobt war,
> hast du dem Volk geschenkt,
> das du begehrt hast."

Der Satz steht im Zusammenhang der zweiten Vision in dem einleitenden Abschnitt, in dem sich der Seher ausführlich auf die Erwählung beruft (5 23 ff.). Daß Gott dieses Volk erwählt hat, wird vielfältig beschrieben und unterliegt keinem Zweifel. Die einzige Ausnahme, die in dem ganzen Abschnitt 5 23–27 über die bloße Variation des Verbum „erwählen" und des Objektes „Israel" hinausführt, steht am Ende in dem zitierten Satz. Die Gabe des Gesetzes gehört demnach wesentlich zum erwählenden Handeln Gottes hinzu. Kein anderer Akt des göttlichen Handelns wird hier als Zeichen der Erwählung genannt – etwa die Errettung des Volkes oder die Zusicherung des Heils –, sondern allein das Gesetz. In den gleichen Zusammenhang gehört der Beginn der vierten Vision des IV. Esra, die mit einer kurzen Schilderung der Sinaioffenbarung beginnt:

> „...damals hast du gesprochen:
> Same Jakobs, merkt auf meine Worte:
> Siehe, ich säe mein Gesetz in euch,
> und es wird in euch Frucht bringen,
> und ihr werdet dadurch verherrlicht werden in Ewigkeit" (9 29ff.).

Der Vers gipfelt am Schluß in der Verheißung des Heils. Es ist die Verheißung für das erwählte Volk. Aber sie steht hier gerade nicht im Zusammenhang einer Berufung auf die Erwählung Abrahams (vgl. 3 14ff.), sondern auf die Gabe des Gesetzes. Diese Gabe des Gesetzes bezeichnet also hier dieselbe Sache wie sonst die Erwählung: die Bestimmung Israels zum Heil.

Ganz eindeutig ist dieser Zusammenhang von Erwählung und Gesetz im syr. Bar. ausgesprochen. Das Volk beklagt seine und der Exulanten hoffnungslose Situation:

> „Denn es sind ihnen abhanden gekommen die Hirten Israels, und verlöscht sind die Lampen, die einst leuchteten; und die Quellen haben ihr Strömen gehemmt, wovon wir einst tranken. Wir aber sind in der Dunkelheit und in dem dichten Wald und in der Wüste gelassen worden" (77 13f.).

Die Erwählung Israels zum Heil, die sich in den metaphorisch beschriebenen Ereignissen und Zeichen der frühen Geschichte kundtat, scheint jetzt vergessen. Aber die Antwort Baruchs weist dieses Mißverständnis der Erwählung ab:

> „Die Hirten und die Lampen und die Quellen stammten aus dem Gesetz. Und wenn wir fortgehen, so bleibt das Gesetz doch bestehen" (77 15).

Israel kann also jetzt dadurch seiner Erwählung gewiß sein, daß es ja das Gesetz hat. Das aber soll gerade nicht bedeuten, daß jetzt in der Gegenwart weniger da wäre als früher, daß Grund und Zeichen der Erwählung geringer geworden sind. Der Satz: „Jetzt aber sind die Gerechten (zu ihren Vätern) versammelt, und die Propheten haben sich schlafen gelegt, und auch wir sind aus unserem Lande ausgewandert, und Zion ist uns entrissen worden – und nichts haben wir jetzt, außer dem Allmächtigen und sein Gesetz" (85 3) kennzeichnet nur die neue geschichtliche Situation. Denn alles, was Israel in der frühen Zeit auszeichnete: die Hirten, die Lampen und die Quellen – sie stammten bereits damals allein aus dem Gesetz.[1] War aber schon damals das Gesetz das wesentliche Kennzeichen der Erwählung, so hat sich daran bis heute nichts geändert. Israel ist jetzt wie früher das erwählte Volk, es hat jetzt wie früher im Gesetz das Pfand dieser Erwählung und kann deshalb ohne Einschränkung seines Heiles als Ziel der Erwählung gewiß sein.

Ein weiteres Beispiel für den engen Zusammenhang von Gesetz und Erwählung bietet die genauere Beobachtung der Begriffe, die in der Zehnwochenapokalypse vorliegen. Die Sinaisituation wird zusammengefaßt in dem Satz: „Ein Gesetz wird für alle kommenden Geschlechter hergestellt werden" (äth.Hen. 93 6). Hier steht für „Gesetz" der Begriff ሥርዓት፡, der schon lexikographisch einigemale mit „Bund" zu übersetzen ist.[2] Der Text bietet nun aber bei der Erwähnung des Noahbundes den gleichen Begriff: „Ein Gesetz für die Sünder" (93 4). Freilich ist die Erwählung Abrahams besonders genannt (93 5). Aber auch für das Sinaigesetz ist doch die im Begriff mitgegebene Bedeutung von „Bund" nicht zu übersehen.

Diese Stellen, die sich leicht vermehren ließen,[3] lassen deutlich einen wesentlichen Zug des Gesetzverständnisses erkennen. Die Sinaioffenbarung steht in engstem Zusammenhang mit dem Erwählungshandeln Gottes, sie ist wesentliches Zeichen des göttlichen Bundes mit Israel, und im Gesetz hat Israel das bleibende Dokument der Erwählung.[4] Deshalb ist es das Gesetz, dessen Besitz die Auszeichnung vor allen Völkern bedeutet,[5] und das so zum geschichtlich-konkreten Zeichen der Erwählung Israels zum Heil wird.[6]

b. Wird so das Gesetz prinzipiell dem Erwählungshandeln Gottes zugeordnet, so entsteht damit die Frage nach dem Grund solcher Interpretation. Welche Bedeutung hat es, daß die Erwählung als Bestimmung Israels zum Heil so eng mit der Offenbarung des Ge-

---

[1] Vgl. dazu 59 2: „Denn zu jener Zeit (sc. Mose) leuchtete die Lampe des Gesetzes, das für immer gilt..." Während dieser Satz als bildliche Beschreibung verstanden werden kann, haben die „Hirten, Lampen und Quellen", die in Kap. 77 „aus dem Gesetz" stammen, möglicherweise einen mythologischen Hintergrund. Dem kann hier nicht weiter nachgegangen werden, im ThWB fehlen s.v. λύχνος und πηγή (Michaelis) entsprechende Hinweise.

[2] Vgl. Dillmann, Lex. ling. aeth. s.v.

[3] Vgl. IV. Esra 3 17 ff.; syr. Bar. 48 20 ff.; 57 2; u.ö.

[4] Vgl. Mundle, Das religiöse Problem des IV. Esra, S. 234.

[5] Vgl. besonders syr. Bar. 77 3.

[6] Es ist in diesem Zusammenhang bemerkenswert, daß die Beschneidung innerhalb der apokalyptischen Tradition keine Bedeutung für die Bundes- und Erwählungsvorstellung hat. In den großen Geschichtsapokalypsen (vgl. S. 55), in denen oft nicht nur die gewichtigsten heilsgeschichtlichen Daten Erwähnung finden, kommt der Abrahambund der Beschneidung (Gen. 17) nicht vor. Man vgl. dagegen die Bedeutung der Beschneidung in der rabbinischen Theologie.

setzes verbunden wird? Die Frage gewinnt um so mehr Gewicht, als von der Erwählung her die Struktur des Geschichtsverlaufs bestimmt war und ihr eine beherrschende Bedeutung für den Plan des göttlichen Heilshandelns zukam. Wird nun in diesen grundlegenden Vorstellungsbereich das Gesetz einbezogen, so zeigt sich darin eine offenbar ebenso wichtige Rolle des Gesetzes an. Indem Erwählung und Gesetz einander zugeordnet werden, kommt eine wesentliche Bedeutung des Gesetzes gerade innerhalb des göttlichen Heilsplanes zum Ausdruck.

Diese heilsgeschichtliche Bedeutung hat das Gesetz in der ganzen apokalyptischen Tradition. Sie zeigt sich darin, daß überall das Gesetz vor dem Heil steht, daß am Gesetz über Heil oder Unheil entschieden wird und daß für die Heilsteilnahme die am Gesetz begründete Gerechtigkeit ausschlaggebend ist. Aber die Frage nach dem Grund dieser vom Heilsplan her notwendigen Gegebenheit wird nur im IV. Esra gestellt und auch beantwortet. Wir wenden uns diesem Text daher ausführlicher zu.

Am Beginn der dritten Vision schließt der Seher seine einleitende Rede:[1]

> „Wenn aber die Welt unsertwegen
> geschaffen ist,
> warum erben wir nicht unsere Welt?
> bis wann soll dies dauern?" (6 59).

Die Antwort des Engels erfolgt zunächst in zwei Gleichnissen: vom breiten Meer, dessen Zugang ein enger Fluß ist (7 3–5), und von der schönen Stadt, die nur durch die Enge zwischen Feuer und Wasser zu erreichen ist (7 6ff.). Diese Antwort besagt, daß Israel deshalb seine Welt und damit das Heil noch nicht besitzt, weil dies nur am Ende der Geschichte möglich ist, und weil diese Geschichte vorher durchgangen werden muß. Die Antwort geht weiter:

„So ist auch Israels Teil:
Um ihretwillen habe ich zwar die Welt geschaffen. Als aber Adam meine Gebote übertrat, wurde das Geschaffene gerichtet.
Da sind die Wege in dieser Welt eng und voll Seufzern und Mühen und vielen Gefahren und großer Erschöpfung und Krankheiten und Leiden geworden..."
(V. 10ff.).[2]

---

[1] Die dritte Vision beginnt IV. Esra 6 35. Die Aussage, um die es dem Verfasser geht, ergibt sich dabei aus dem Ganzen des Dialogs mit dem offenbarenden Engel, und weder allein aus der Frage noch aus der Antwort. Vgl. dazu Mundle, Das religiöse Problem des IV. Esra, S. 236.

[2] Vgl. 7 96 wo von den Heilsteilnehmern gesagt wird, daß sie am Ende auf die Enge und die vielen Mühsale, die dann hinter ihnen liegen, zurückschauen werden.

Die einleitende Frage des Sehers konnte also offenbar nicht ohne weiteres und sofort beantwortet werden. Sie wird hier zurück-geführt auf die Frage nach dem Grund der Geschichte überhaupt. Israel besitzt diese Welt nicht, so wurde zunächst gesagt, weil das vom Wesen dieser Welt und damit der Geschichte her nicht möglich ist. Und jetzt wird beantwortet, wodurch es zu dieser Struktur der Welt gekommen ist: durch die Sünde. Die Sünde des ersten Men-schen hatte zur Folge, daß das Heil dieser Welt entzogen und in die Künftigkeit des kommenden Äon verlegt wurde. Dieser Entzug des Heils ist der Inhalt des göttlichen Gerichts (V. 11). Die Sünde Adams bezeichnet den Punkt, an dem die „engen und mühevollen Wege" dieser Welt beginnen, und das heißt, sie steht am Anfang der Geschichte.[1] Denn gerade die Engen und Mühseligkeiten charak-terisieren ja, dem Vorhergegangenen nach, den Ablauf der ge-schichtlichen Zeit. Deshalb muß die Antwort des Engels lauten: innerhalb der Geschichte kann Israel das Heil nicht besitzen, weil die Geschichte durch den Entzug des Heils allererst entstanden ist.[2] Allerdings ist damit erst die eine Seite des „Gerichtes" (V. 11) be-schrieben. Denn die Künftigkeit des Heiles bedeutet ja gerade nicht seine Aufhebung. Das Heil bleibt für Israel bestehen. Neben dem Einbruch der Sünde durch Adam ist es die trotzdem und weiterhin geltende Erwählung Israels zum Heil, die die Geschichte begründet.

Aus diesem geschichtsbegründenden Gericht folgt, daß das Heil erst am Ende der Zeit zugänglich wird, und daß Israel zunächst dem geschichtlichen Geschehen unterworfen ist:

„Wenn die Lebenden also in diese Engen und Eitelkeiten nicht eingegangen sind,
können sie nicht erlangen, was ihnen aufbewahrt ist" (V. 14).

Es gehört noch durchaus zur Beantwortung der einleitenden Frage des Sehers, daß auf die Bedeutung der „Enge", der „Mühen" und „Drangsale" für Israel hingewiesen wird. Sie beschreiben das politische Geschick des Volkes. Der Seher selbst hatte festgestellt, daß Israel der Unterdrückung und Bedrängung durch die Völker preisgegeben ist (6 55 ff.). Und die Antwort besagt, daß es im Blick

---

[1] Die Vorstellung von der Geschichtswirksamkeit des adamitischen Falles ist Ge-meingut jedenfalls der späteren Apokalyptik, vgl. IV. Esra 3 21; 4 30; 7 116 ff.; syr. Bar. 23 4; 48 42; 56 6; Ob hier der Mythus vom Fall des Urmenschen im Hinter-grund steht, ist nicht sicher zu erheben, vgl. dazu Volz, Eschatologie, S. 190; Bous-set–Greßmann S. 406ff.; Kraeling, Anthropos and Son of Man, S. 128ff.

[2] Es ist deshalb zu wenig, und wird dem IV. Esra nicht gerecht, wenn man meint, daß die Frage 6 59 nur mit dem „Hinweis auf den kommenden Äon" beantwortet werde, so Sjöberg, Gott und die Sünder, S. 228; vgl. auch Keulers, Die eschatologische Lehre des IV. Esra, 1922, S. 34.

auf die notwendige Heilsferne von Welt und Geschichte auch gar nicht anders sein kann.[1] Es gehört wesentlich zur Geschichte hinzu, daß Israel in die Hand der Völker gegeben ist.

Aber auch damit ist die Frage des Sehers noch nicht vollständig beantwortet. Denn es ist keineswegs so, daß Israel jetzt lediglich die „Engen" der Geschichte zu erdulden hätte, um dann sicher zum Heil zu gelangen. Das ist dem Seher durchaus bekannt. Denn von ihm selbst kommt unmittelbar anschließend der Einwurf:

„Herr Gott, du hast ja in deinem Gesetz bestimmt, nur die Gerechten würden dies Erbteil bekommen; aber die Gottlosen sollten ins Verderben gehen" (V. 17).

Und in der Antwort des Engels heißt es:

„Gott hat den Lebenden, sobald sie zum Leben kamen, feierlich erklärt, was sie tun sollten, um das Leben zu erwerben, und was sie halten sollten, um nicht der Strafe zu verfallen" (V. 21).

Damit rückt jetzt das Gesetz in den Mittelpunkt. Nicht jeder, der die „Enge" erduldet, kommt zum Heil,[2] sondern nur die Gerechten, die die Gebote bewahren.[3] Der hier genannten Bestimmung wird offenbar grundlegende Bedeutung zugemessen. Das zeigt schon die neue Gebetsanrede: „Dominator domine, ecce disposuisti in lege tua..." (V. 17). Diese Bestimmung ist aber nicht nur grundlegend, sie ist im bisherigen Gang auch völlig neu. Von einer solchen dispositio, die die Frage der Heilsteilnahme in ein ganz neues Licht rückt, war bisher nicht die Rede. Es hieß vielmehr ohne jede Einschränkung, daß die Welt für Israel geschaffen sei und daß also das Heil dem erwählten Volk zukomme.[4] Aber diese Aussagen über die Schöpfung wurden bereits grundsätzlich korrigiert. Der adamitische Fall und das Gericht hatten eine völlig neue Situation geschaffen. Und eben von daher ist nun auch die „Bestimmung" über die Gerechtigkeit zu verstehen: zu dem iudicare Gottes (V. 11), das die Geschichte begründet, gehört sein disponere (V. 17) hinzu. Die

---

[1] Vgl. 4 26 f.: „Er antwortete mir und sprach: wenn du bleiben wirst, wirst du's schauen; und wenn du lange leben wirst, wirst du erstaunen. Denn der Äon eilt mit Macht zu Ende. Er vermag es ja nicht, die Verheißungen, die den Frommen für die Zukunft gemacht sind, zu ertragen. Denn dieser Äon ist voll Trauer und Ungemach."

[2] Vgl. V. 18: „iusti autem ferent angusta sperantes spatiosa; qui enim impie gesserunt, et angusta passi sunt, et spatiosa non videbunt." Die Einführung eines „non" vor „passi sunt" durch einige Handschriften stellt eine Vereinfachung des Problems dar.

[3] Vgl. V. 45: „Selig sind die, die in die Welt kommen und deine Gebote halten." Der anschließende V. 47 ist eine sachliche Parallele zu V. 18: „Jetzt erkenne ich, daß die zukünftige Welt wenigen Erquickung bringen wird, vielen aber Pein." Vgl. auch 8 1: „Diese Welt hat der Höchste um vieler willen geschaffen, aber die zukünftige nur für wenige"; ferner das maschalartige Logion 8 3, das wohl hier als Summe des Abschnittes 7 132 ff. bereits Zitat ist: „Viele sind geschaffen, wenige aber gerettet", vgl. dazu Mt. 22 14.

[4] IV. Esra 6 55. 59; 7 119.

Bestimmung über die Frage der Heilsteilhabe ist Teil des göttlichen Gerichts über alles Geschaffene.[1] Die Folge des Einbruchs der Sünde besteht nicht allein darin, daß dieser Welt das Heil entzogen wurde und sie nunmehr dem Ablauf der Zeit bis zum Beginn des neuen Äon unterworfen ist, sondern ebenso darin, daß die Teilnahme am Heil nunmehr abhängig ist von der Gerechtigkeit durch das Gesetz. Und wie die Geschichte begründet war durch den trotz der Sünde sich durchhaltenden Erwählungsbeschluß Gottes, so ist es jetzt Zeichen gerade dieser Erwählung, daß das Gesetz als Bedingung des Heils an Israel verliehen wurde.[2]

Erst damit, und nachdem noch einmal die Sünde der Ungerechten ausführlich expliziert wurde (V. 22 ff.), ist die einleitende Frage des Sehers nach allen Richtungen hin beantwortet.[3] Und jetzt wird auf ihren zweiten Teil Bezug genommen: „Bis wann soll dies dauern?" (6 59b), und zwar mit einer eingehenden Schilderung des Weltgerichts (7 26 ff.).

Das Ergebnis dieses Abschnittes, bei dem nur die für unseren Zusammenhang wichtigen Züge herausgestellt werden konnten, liegt einmal darin, daß die Frage nach der Ursache für den geschichtlichen Mißerfolg Israels vom Wesen der Geschichte her beantwortet wurde. Weil die Geschichte gerade im Entzug des Heils begründet ist, kann es in der Zeit kein Heil für Israel geben. Und weiterhin ist das Ergebnis, daß zugleich mit dem Entschwinden des Heils in die Künftigkeit des neuen Äon die Gerechtigkeit durch das Gesetz zur Bedingung der Teilnahme wurde. In beidem: der Bewahrung des Heils trotz der Sünde und der Verleihung des Gesetzes vollzieht sich das erwählende Handeln Gottes.

c. Die Folgerungen aus diesem geschichtstheologischen Entwurf

[1] Einen zeitlichen Abstand zwischen Adam und der Sinai-Offenbarung hat der Verfasser nicht im Blick. Dies zeigt der unmittelbare Anschluß von V. 17 an den von V. 11 bestimmten Zusammenhang. Ein Beispiel für solche systematische Darstellung bietet auch 5 23 ff., wo die Gabe des Gesetzes unmittelbar im Komplex von Erwählungsaussagen steht.

[2] Für diesen Zusammenhang ist zu beachten, daß der Beginn der dritten Vision (6 35 ff.) in bestimmter Analogie zu dem der zweiten Vision (5 20 ff.) steht. Den Ausgangspunkt bildet hier das Erwählungshandeln Gottes (5 23 ff.), dort sein Schöpfungshandeln (6 38 ff.). Beide Abschnitte kulminieren in parallelen Fragen: „Weshalb haben die, die deinen Verheißungen widersprochen haben (sc. die Völker), die niedertreten dürfen, die deinen Bündnissen geglaubt haben?" (5 29); und: „Weshalb haben wir nicht die Welt in unserem Besitz?" (6 59; vgl. V. 57). Während aber in der zweiten Vision jede Erörterung vermieden wird durch den Hinweis auf die „Liebe Gottes" und das darin begründete Ziel der Erwählung (5 33. 40), behandelt die dritte Vision als Antwort den Zusammenhang von Geschichte, Heil und Gesetz. Die Entsprechung der Fragen weist auf die der Antworten hin: die Liebe Gottes (5 33 ff.) und die heilsermöglichende Gabe des Gesetzes (7 21) stehen in Parallele, die caritas manifestiert sich im Gesetz.

[3] Gunkel in Kautzsch II, S. 337 zerstört den Zusammenhang, wenn er meint, daß mit 7 17 ein neues Problem einsetze.

des IV. Esra führen jedoch nicht zu völlig neuen Ergebnissen. Sie begründen vielmehr nur solche Sätze, die zum traditionellen Bestand der ganzen Apokalyptik gehören. Denn überall ist das Heil die ausschließlich eschatologische Größe und in der Geschichte prinzipiell unzugänglich. Überall ist ferner die Gerechtigkeit aus dem Gesetz die Bedingung für die Heilsteilnahme.[1] Und überall ist die Gabe des Gesetzes an Israel, weil dadurch allererst die Möglichkeit der Heilsteilnahme entsteht, das Zeichen der Erwählung.

Mit diesen Ergebnissen ist die Bedeutung des Gesetzes schon etwas klarer hervorgetreten. Jedoch ist jetzt zu fragen, worin die konkrete Funktion des Gesetzes als Bedingung der Heilsteilnahme besteht und damit, was die Gerechtigkeit des Gerechten ausmacht.

IV. Das Gesetz und der Mensch

1. *Gesetz und Gerechtigkeit*

Es ist davon auszugehen, daß in der apokalyptischen Tradition mit „Gerechtigkeit" ein bestimmtes Verhältnis des Menschen zum Gesetz beschrieben wird, und zwar in dem Sinne, daß diese Gerechtigkeit ausschließlich über das Gesetz erlangt werden kann. Die Gerechtigkeit des Frommen wird wie die Ungerechtigkeit des Sünders allein vom Gesetz her konstatiert. „Auf dem Wege seiner Gerechtigkeit wandeln" heißt daher „nicht mit den Gottlosen sündigen" (äth. Hen. 99 10), wobei das „Sündigen" vorher bestimmt war als „Verkehren des Gesetzes" (99 2). Im syr. Bar. heißt es explizit, daß die Gerechtigkeit „aus dem Gesetz" stammt (67 6), und daß man nur durch das Gesetz gerecht handeln kann (51 3). Die Gerechtigkeit steht also, ebenso wie die Ungerechtigkeit, in einer sie begründenden Beziehung zum Gesetz, und damit stellt sich die Frage nach Struktur und Inhalt dieser Beziehung.

a. Um einen ersten Überblick über die Art und Weise, wie die Beziehung des Menschen zum Gesetz ausgesagt wird, zu erhalten, stellen wir eine Reihe von Versen zu diesem Thema zusammen. Es liegt in der Natur der apokalyptischen Texte, daß die Aussagen über die Sünder häufiger sind als solche über die Gerechten, daß also die Angaben über die als „Ungerechtigkeit" bezeichnete Beziehung zum Gesetz überwiegen.

---

[1] Belege dafür erübrigen sich. Vgl. Bousset-Greßmann, S. 119 ff.; Volz, Eschatologie, S. 289.

„Ihr aber habt nicht ausgeharrt
und das Gesetz des Herrn nicht erfüllt,
sondern ihr seid abgefallen…" (äth. Hen. 5 4).

„Sein Gesetz verachteten sie,
seine Bündnisse leugneten sie,
seinen Geboten glaubten sie nicht,
seine Werke vollbrachten sie nicht" (IV. Esra 7 24).

„…die die Wege des Höchsten nicht bewahrt,
die sein Gesetz verschmäht
und die Gottesfürchtigen gehaßt…" (IV. Esra 7 79).

„Ihr aber sollt euch nicht lossagen
von dem Wege des Gesetzes,
sondern beobachtet es und ermahnt das Volk,
das übriggeblieben ist,
daß sie sich nicht lossagen von den
Verordnungen des Allmächtigen" (syr. Bar. 44 3).

„Du machst eine Öffnung in den Zaun
für die, die nicht erfahren sind,
und du erhellst die Dunkelheiten
und offenbarst das Verborgene denen,
die sich im Glauben dir und deinem Gesetz
unterworfen haben" (syr. Bar. 54 5).

Die wenigen Stellen erlauben bereits eine wichtige Beobachtung. Es fällt auch hier wieder auf, daß an keiner Stelle das Gesetz oder ein Gebot seinem Inhalt nach erwähnt wird. Nun ist zwar mit Sicherheit anzunehmen, daß jeder zeitgenössische Leser oder Hörer sehr genau weiß, was mit dem „Gesetz" gemeint ist, und zwar so, daß er auch präzise Forderungen damit verbinden mußte. Aber es werden doch andererseits an allen diesen Stellen höchst gewichtige Urteile ausgesprochen, die über nichts Geringeres entscheiden, als über das endzeitliche Heil oder Unheil der Betroffenen. Und so wäre doch mit einigem Recht zu erwarten, daß den jeweils Angeredeten oder Genannten wenigstens in Andeutungen mitgeteilt würde, worin ihre Verfehlung bestanden hat, an welcher Stelle sie gegen das Gesetz verstoßen haben oder wodurch im einzelnen die Gerechtigkeit der Gerechten erworben wurde. Aber derartiges wird – und zwar in der gesamten apokalyptischen Tradition – nirgends ausgeführt. Im Blick auf die Ausführlichkeit und den Nachdruck, mit dem überall in den Texten vom Heil der Gerechten und Unheil der Sünder gesprochen wird, nötigt dieser Befund zu der Vermutung, daß es gar nicht um die einzelne Sünde, den einzelnen Verstoß gegen ein Gebot oder die einzelne Verfehlung des Gesetzes bei der „Ungerechtigkeit" geht, und entsprechend nicht um die Erfüllung des Einzelgebotes bei der „Gerechtigkeit" – sondern vielmehr um eine grundsätzliche Stellung zum Gesetz überhaupt.

b. Um diesen Zusammenhang deutlicher werden zu lassen, ist es nötig, die Begriffe, mit denen die Beziehung des Menschen zum Gesetz beschrieben wird, näher ins Auge zu fassen. Beginnen wir zunächst mit Aussagen über die Sünde. Aufschlußreich ist hier äth.Hen. 99 2:

> „Wehe denen (euch),
> die die Worte des wahren Glaubens verfälschen,
> die das Gesetz beständig verkehren,[1]
> und sich zu Sündern machen,
> die sie am Anfang nicht waren."[2]

„Sünde" ist demnach das „Verkehren" (០៱መ :)[3] des Gesetzes und, in paralleler Aussage, das „Verfälschen" der „Worte des wahren Glaubens."[4] Zum richtigen Verständnis der Stelle ist hier der historische Hintergrund zu beachten: die mit aller Schärfe verurteilten Gegner sind die hellenophilen Juden, die zwischen überliefertem Glauben und hellenistischer Kultur einen Kompromiß suchten.[5] Aber dabei ist nun bezeichnend, daß die Sünde dieser „Sünder" nicht als Katalog von Einzelabweichungen beschrieben wird, daß die Einschränkungen und Änderungen, die vom hellenistisch-liberalen Standpunkt aus dem Gesetz und der Überlieferung gegenüber gemacht wurden, offenbar als Einzelheiten gar nicht interessieren. „Sünde" ist gerade nicht die Verfehlung eines oder mehrerer Gebote, sondern eine verfehlte Stellung zum Gesetz überhaupt. Und zwar besteht hier die Sünde der Sünder darin, daß sie den radikalen Absolutheitsanspruch des Gesetzes erweichen schon mit der Meinung, eine Verbindung zwischen Gesetz und heidnischen

[1] In den Übersetzungen (Beer in Kautzsch II, z. St., Charles z.St.) wird das ሰንሳፖ : (= לְעוֹלָם) auf das Gesetz bezogen als „ewiges Gesetz". Das ist grammatisch nicht möglich weil 1. durch das ሰ : eine ausschließlich adverbiale Bestimmung gegeben ist, und 2. wegen der Satzstellung, die wörtlich lautet: „und – das – Gesetz – ihr – ሰንሳፖ : – verkehrt – (es)." Die Schwierigkeit, die sich aus der wörtlichen Übersetzung ergibt (was hieße: „in Ewigkeit verkehren"?) löst sich durch den Hinweis, daß ሰንሳፖ : auch den Sinn von „perpetuum" haben kann, vgl. Dillmann, Lex. s.v.

[2] Charles vertritt die Meinung, hier sei auf die Korrektur der Beschneidung angespielt, und er hält daher „Sünder" für eine Glosse (The ethiopic version, S. 206), aber kaum zu Recht; die Überlieferung ist einstimmig.

[3] Das Verbum umfaßt den Sinn des griechischen μεταστρέφειν und ἀθετεῖν, es steht z.B. Mk. 7 9 und Gal. 1 7.

[4] Die Übersetzung „Worte der Wahrheit" (so Beer in Kautzsch II) trifft den Sinn nicht vollständig.

[5] Vgl. Beer (in Kautzsch II) z. St.; Beek, Inleiding, S. 42; Über die hellenistischen Tendenzen im palästinensischen Judentum seit der makkabäischen Zeit vgl. Noth, Geschichte Israels, S. 324 f.

Ideen suchen zu dürfen. Als Sünde wird nicht die Korrektur und Änderung des Gesetzes an einem Einzelpunkt behauptet, sondern ein falsches Verständnis vom Wesen des Gesetzes. Daher kann von der Sünde als vom „Verkehren" des Gesetzes gesprochen werden, was identisch ist mit dem „Verfälschen" der „Worte des wahren Glaubens". Und so wird deutlich, daß der Nachsatz nicht die ursprüngliche Reinheit aller Menschen ausspricht, die später zu Sündern werden durch eigene Schuld, sondern daß hier der Abfall zum Liberalismus als Sünde gebrandmarkt wird. „Gerechtigkeit", so ergibt sich daraus, ist dagegen der orthodoxe Glaube, der sich wiederum nicht im Befolgen bestimmter Gebote, sondern im Prinzipiellen, im Verständnis des Gesetzes als unantastbarer Überlieferung manifestiert.

Eine Übersicht über diejenigen Begriffe, die direkt die Beziehung des Sünders zum Gesetz ausdrücken, ergibt folgendes Bild:[1]

> spernere IV. Esra 7 24. 37. 81; syr.Bar.51 4 (ܐܣܠܝ)
> contemnere IV. Esra 7 79; 8 56
> fastidire IV. Esra 9 11
> neglegere IV. Esra 7 20
> fraudare IV. Esra 7 72
> pervertere äth.Hen. 99 2 (ለውጠ፡)
> proicere syr.Bar. 41 3 (ܪܡܐ)
> non observare äth.Hen. 5 4 (ዐቀበ፡)
> non diligere syr.Bar. 54 14

Es zeigt sich sofort, daß hier im wesentlichen eine „Verachtung" oder „Ablehnung" dem Gesetz gegenüber expliziert wird, nicht aber konkrete Fälle von Gebotsübertretungen. Als Sünde der Sünder steht ihre „Verachtung" im Vordergrund. Diese Verachtung beschreibt aber nicht die Aktualität eines bestimmten Handelns, sondern eine jedem Handeln vorausgehende Einstellung und Haltung im Gegenüber zum Gesetz. Wenn also die Sünder als „Verächter" bezeichnet werden, so wird ihnen damit die prinzipielle Ablehnung des Gesetzes vorgeworfen. „Sünde" ist das „Verschmähen" (IV. Esra 9 11) des Gesetzes.

Dazu ist weiterhin zu beachten, daß diese Aussagen, die die Sünde als Verachtung des Gesetzes beschreiben, nur selten isoliert und zumeist im Rahmen paralleler Reihen vorkommen, deren Thema im ganzen die Ungerechtigkeit der Sünder ist. So heißt es IV. Esra 8 56 ff. :

---

[1] Diese Begriffe weisen wiederum auf den deutlichen Zusammenhang mit weisheitlichem Sprachgebrauch hin (vgl. Ps. 119 21. 53. 118); sie zeigen aber zugleich die Einengung auf einen bestimmten Sinngehalt, durch die sich die Apokalyptik von der Farbigkeit und Vielschichtigkeit weisheitlicher Texte abhebt.

„Denn sie haben aus eigenem freiem Entschluß
den Höchsten verachtet (spreverunt)
und sein Gesetz verworfen (contempserunt)
und seine Wege verlassen,
dazu auch seine Gerechten zertreten, und haben in ihren Herzen gesprochen,
es sei kein Gott."

Das „Verwerfen" des Gesetzes ist hier nur Teil einer größeren Reihe aus drei Gliedern. Aber gerade die sachlich parallelen Aussagen dieser Reihe zeigen, daß die Sünde der Ungerechten nicht im Vernachlässigen einzelner Gebote gesehen wird. Der zitierte Abschnitt will ganz offenkundig eine kurze summa dessen geben, was die Ungerechtigkeit bestimmt. Und darin ist die Frage der Erfüllung einzelner Gebote ohne jede Bedeutung. Es wird vielmehr in allen Gliedern dieser Reihe nur ein einziger Vorwurf von verschiedenen Seiten her variiert: die Ablehnung. Im Blick auf das, was hier als die Gegenstände der Ablehnung aufgezählt wird, Gott, sein Gesetz, seine Wege, wird die Ungerechtigkeit bestimmt als Negation alles dessen, was für den Gerechten das Fundament seiner Gerechtigkeit ist. Als konkrete Konsequenz dieser Negation erscheint ein einziger Vorwurf, nämlich der, daß die Gerechten „zertreten" werden, und in unmittelbarem Zusammenhang damit folgt ein Zitat aus Ps. 141. Das „Leugnen Gottes", das im Psalm den נבל (V. 1) vom משכיל (V. 2) trennt, wird hier direkt angewendet auf den Unterschied zwischen iniusti (8 47) und iusti (8 57). Es wird damit zum weiteren Glied in der Reihe, die das Wesen der Ungerechtigkeit als „Ablehnung" charakterisiert.

In diesen Zusammenhang gehören zwei weitere Abschnitte aus dem IV. Esra, die inhaltlich und formal in so auffallender Parallelität zu dem eben behandelten Text stehen, daß man wohl ein gemeinsames Formular für alle drei Partien vermuten darf.

7 23: „Sie erdachten sich eitle Gedanken
und ersannen sich ruchlose Lügen,
und sie behaupteten, daß der Höchste nicht sei,
und seine Wege erkannten sie nicht;
  24: und sein Gesetz verachteten sie (spreverunt),
und seine Bündnisse leugneten sie,
und seinen Satzungen glaubten sie nicht,
und seine Werke vollbrachten sie nicht."
7 79: „...wenn er aber einer von den Verächtern ist (qui spreverunt),
die die Wege des Höchsten nicht bewahrt (non servaverunt)
und die sein Gesetz verschmäht (contempserunt)
und die Gottesfürchtigen gehaßt..."

Die Übereinstimmungen der drei Texte sind ohne weiteres deutlich, sowohl in der literarischen Anlage wie in den Einzelzügen.

Gemeinsam ist in allen Reihen das Vorkommen von *lex*, *via* und *altissimus* an zentraler Stelle und der hervorstechende Gebrauch von *spernere* und *contemnere*. Dem jeweiligen Kontext entsprechen die Verschiedenheiten der Ausführlichkeit und des Rahmens. Gemeinsam ist aber ferner, und das ist für unseren Zusammenhang wichtig, in allen Texten der Skopus. Überall soll das Wesen der Ungerechtigkeit beschrieben werden. Und überall geschieht das in parallelen Reihen, deren sachlicher Mittelpunkt das „Leugnen" des Höchsten, das „Verschmähen" seines Gesetzes und das „Verlassen" seiner Wege ist. Gerade die Vielfalt der Variationen der immer wieder gleichsinnigen Aussagen zeigt, daß nur eines und ein überall Gleiches gemeint ist: der Sünder ist der „Verächter" schlechthin,[1] und das Wesen der Sünde ist die „Ablehnung".

Ist einmal das Augenmerk auf diesen Befund gerichtet, so ergibt sich sofort, daß damit eine durch die gesamte apokalyptische Tradition hindurchgehende Struktur der Aussage über die Sünde erfaßt ist. Das Wesen der Sünde wird nahezu ausschließlich in der Negation beschrieben. Dazu einige Beispiele.

In den Bilderreden des äth.Hen. werden die Könige der Erde durchweg als die exemplarischen Sünder genannt.[2] Aber worin eigentlich die Sünde dieser Sünder besteht, wird nur ganz selten erwähnt. Grundlegend ist dabei der Satz, daß die Sünder den „Herrn der Geister" „verleugnen".[3] Von daher sind alle weiteren Aussagen bestimmt: sie erheben ihn nicht, sie preisen ihn nicht, sie verleugnen die göttliche Begründung des Königtums, ihre Taten sind Ungerechtigkeit, sie beten Götzen an.[4] Es ist ohne weiteres deutlich, daß diese Bestimmungen nicht eigentlich eine Position der Sünde beschreiben. Sie entstehen vielmehr als negative Spiegelbilder dessen, was die Gerechtigkeit bestimmt.[5] Sünde ist nichts anderes als ein prinzipielles „Nein". Als einzige positive Bestimmung der Sünde durchzieht die Bilderreden ein Vorwurf, der sich unmittelbar aus dem „Leugnen Gottes" ergibt, und der in der ganzen apokalyptischen Tradition von großer Bedeutung ist: die Sünder unterdrücken und bedrängen die Gerechten.[6] Ein völlig analoges Bild ergibt sich aus der Siebzighirtenvision. Durch die Gesetzgebung auf dem Sinai werden den „Schafen" (sc. den Israeliten) die Augen

---

[1] Vgl. den absoluten Gebrauch von spernere 7 79a; vgl. 7 76.

[2] Vgl. 38 4; 48 3; 54 2; u.ö., sowie Schürer, Geschichte III, S. 279.

[3] Vgl. 38 2; 41 2; 45 1. 2; 46 7; 48 10.

[4] 46 5 ff.; vgl. 63 5 ff.

[5] Vgl. das „Leugnen des Herrn der Geister" mit 43 4: „...die an den Namen des Herrn der Geister immerdar glauben."

[6] Vgl. 46 7; 53 7; 62 11; 69 27.

„geöffnet". Dies bezeichnet den ganzen Text hindurch die Gerechtigkeit.[1] Die Sünde wird allein von daher bestimmt: Sünde ist „blind" oder „verblendet" sein,[2] und damit nichts anderes als die Negation der Gerechtigkeit. Das „Verblendet-" und „Blind-" Sein kann durchaus kombiniert werden mit anderen Begriffen, die aber alle die Struktur dieser Negation tragen und das „Abfallen" und die „Verachtung" beschreiben: Abirren (89 32), Abfallen (89 51. 54), Taubsein (90 7). Die prinzipielle Bedeutung dieser Begriffe zeigt sich besonders deutlich darin, daß das „Blindsein" ohne jede Erklärung von den „Schafen" auf die 70 Hirten übertragen werden kann (89 74), wo es darum geht, sie als Sünder zu beschreiben.

Ein weiteres Beispiel bieten die einleitenden Kapitel des äth. Hen. (1–5).[3] Hier werden die Sünder beschrieben als die, die das Gesetz des Herrn nicht erfüllen (5 4). Das Wesen dieser Sünde wird von zwei Seiten her verdeutlicht; einmal vom Gesetz und von der Schöpfung her (2 1ff.), zum anderen aber durch eine sofort angeschlossene parallele Aussage: die Sünder sind die „Abgefallenen". Der gleiche Satz (5 4) führt, angeschlossen durch ein epexegitisches καί aus, worin dieser „Abfall" besteht:

> ἀλλὰ ἀπέστητε
> καὶ κατελαλήσατε μεγάλους
> καὶ σκληροὺς λόγους
> ἐν στόματι ἀκαθαρσίας ὑμῶν
> κατὰ τῆς μεγαλοσύνης αὐτοῦ.[4]

Die Sünde der Sünder besteht im „Lästern" der göttlichen Majestät und darin wiederum in einer „verachtenden" Haltung und also in einer Verkehrung des richtigen Verhältnisses.

Im IV. Esra wird außer an den oben bereits zitierten Stellen selten auf das Wesen der Sünde eingegangen, wenngleich häufig die Sünder oder die Sünde genannt werden. Aus einer Reihe von beiläufigen Formulierungen ergibt sich jedoch ein deutliches Bild. So heißt es von den Völkern, die nicht erwählt sind und die dadurch gerade zu Israel als dem erwählten Volk in Gegensatz stehen, daß sie den göttlichen Verheißungen „widersprochen" haben.[5] In ähnlicher Weise gilt von den Sündern, daß sie weder Mose noch den

---

[1] Vgl. 89 28ff. 41; dazu Förster, Der Ursprung des Pharisäismus, S. 37ff.
[2] Vgl. 89 32. 41. 54; 90 7. 26.
[3] Nach Appel, Die Komposition des äthiopischen Henochbuches, gehören diese Teile zu den älteren des Ganzen (S. 6ff.).
[4] Der Nachsatz ὅτι κατελαλήσατε ἐν τοῖς ψεύσμασιν ὑμῶν fehlt im äth. Text und dürfte eine Glosse sein.
[5] contradicebant sponsionibus 5 29; vgl. V. 23ff.

Propheten, noch Gott selber „geglaubt" haben (non crediderunt
7 130). Ihre Sünde ist der „abusus" der göttlichen Wege, die „Verachtung" (proiecerunt in contemptu) des Gerichts, das „Nicht-
erkennen" Gottes und das „Verschmähen" von Gesetz und Umkehr (9 9–11). Die kurzen Angaben zeigen, wie auch hier durchgehend die Sünde als „Widerspruch" und als „Verachtung" beschrieben wird; sie bleibt ohne jedes andere Kennzeichen als das
der Negation der Gerechtigkeit.

Die Aussagen des syr.Bar. sind in diesem Zusammenhang völlig
gleichlautend. Die Sünder, die am Ende gestraft werden, sind die,
die das Gesetz „verachtet" haben (spernere 51 4). Sie haben sich
von den Verheißungen „losgesagt" und das Joch des Gesetzes „von
sich geworfen" (recesserunt a sponsionibus; proiecerunt 41 3). Besonders deutlich ist der Satz 54 14:

> „Und mit Recht gehen die unter,
> die nicht dein Gesetz lieben,
> und die Pein des Gerichts nimmt die in Empfang,
> die sich nicht deiner Herrschaft
> unterworfen haben."

Die „Verachtung" und der „Abfall" als Struktur der Sünde
zeigen sich in der verneinenden Aussage. Die Sünde wird beschrieben als Negation dessen, was die Gerechtigkeit ausmacht: Liebe
zum Gesetz und Unterwerfung unter den Höchsten.

Werfen wir abschließend einen Blick auf den Habakuk-Kommentar von Qumran (1QpHab). Obwohl der Text stark fragmentarisch
ist, ergibt sich aus den spärlichen Angaben doch ein deutliches
Bild.[1] Wer die Sünder und die Gegner der Gruppe hier im einzelnen
sind, ist für unseren Zusammenhang ohne Belang.[2] Hinsichtlich der
Struktur der Sünde gibt es keine grundsätzlichen Unterschiede.
Von den Sündern gilt offenbar prinzipiell, daß sie das Gesetz „ver-
achten" (מאס I 11; V 11). Sie „verraten" die Gebote (בגד VIII 10),
empören sich gegen sie (מרד VIII 16) und glauben ihnen nicht (so
die Kittäer II 14). Das Wesen der Sünde ist also auch die Ablehnung
und Verachtung gerade des Gesetzes.[3] Darüber hinaus sind sündige
Priester und heidnische Kittäer dadurch verbunden, daß sie das
eigene wie fremde Völker unterdrücken und ausbeuten (vgl. VIII 12;
IX 5).

    c. Es hat sich bisher gezeigt, daß in der apokalyptischen Tradition

---

[1] Text nach Elliger, Studien zum Habakuk-Kommentar vom Toten Meer, 1953.
[2] Vgl. dazu Elliger, ebd., S. 170 f.; 266. Zum Folgenden vgl. besonders S. 277.
[3] Vgl. dazu Braun, Spätjüdisch-häretischer und frühchristlicher Radikalismus, I,
S. 54 ff.

die Struktur der Sünde mit den Formeln des „Abfalls" und der „Verachtung" beschrieben werden mußte. Die Sünde ist bloße Negation, und zwar Negation dessen, was die Gerechtigkeit bestimmt. Daraus ergibt sich, daß eine eigene inhaltliche Bestimmung der Sünde als Sünde fehlt. Es gibt nicht einen eigenen Bereich, in dem menschliches Leben und Handeln in einem isolierten Akt sündig wäre und der einem Bereich ebenso isolierbarer Akte von Gerechtigkeit gegenüberstünde. Sünde entsteht vielmehr allein am Leitfaden der Gerechtigkeit, und zwar überall da, wo diese Gerechtigkeit durch das grundsätzliche „Nein" des Abfalls in ihr Gegenteil verkehrt wird. Auf diesem Hintergrund stellt sich jetzt die Frage nach dem Wesen der Gerechtigkeit.

Es war bereits oben auf die fundamentale Bedeutung des Gesetzes für die Gerechtigkeit hingewiesen worden. „Die Gerechtigkeit hat ihre Quelle im Gesetz."[1] Um der Struktur dieses Verhältnisses zwischen Gesetz und Gerechtigkeit nachzugehen, richten wir den Blick wiederum auf die Begrifflichkeit, mit der diese Beziehung beschrieben wird.[2]

> custodire äth. Hen. 108,1 (ⲞϮⲚ:); IV. Esra 7,89;
>   syr. Bar. 44,3. 14 (ܢܛܪ)
> servare IV. Esra 7,94
> subicere syr. Bar. 54,5
> obedire syr. Bar. 46,5

So selten solche Stellen sind, die das Verhältnis des Gerechten zum Gesetz unmittelbar in Verbalformen beschreiben, so zeigt sich doch deutlich das Hervortreten von Begriffen mit dem Sinn von „bewahren". Fassen wir diese Stellen näher ins Auge.

äth. Hen. 108 1: „Ein anderes Buch, von Henoch verfaßt für seinen Sohn Methusala und für die, die nach ihm kommen und das Gesetz in der Endzeit bewahren."

Der Satz ist die Überschrift einer kurzen Apokalypse, die den Schluß des äth.Hen. bildet. Der Text wird damit adressiert an die

---

[1] Volz, Eschatologie, S. 79; vgl. auch Couard, Die religiösen und sittlichen Anschauungen der Apokryphen und Pseudepigraphen, S. 143.
[2] Die folgenden Begriffe sind so wenig wie die oben (S. 80) wiedergegebenen alleiniges Kennzeichen der Apokalyptik. שמר ist vielmehr in Verbindung mit תורה, חק oder ברית im ganzen Alten Testament geläufig. In weisheitlichen Texten ist שמר wiederum besonders häufig (vgl. Ps. 119 5. 44 u.ö., Prov. 4 4; 29 18 u.ö.), es findet sich aber im gesamten nachexilischen Schrifttum bis hin zur rabbinischen Literatur. Hinzuweisen ist jedoch wiederum auf die Ausschließlichkeit, mit der in der Apokalyptik diese Begriffe Anwendung finden, während sie in anderen Textgruppen ohne erkennbare Besonderheit in einer Reihe mit weiteren Termini stehen, vgl. z.B. Braun, Spätjüdisch-häretischer und frühchristlicher Radikalismus, I, S. 99f.

Gerechten (vgl. V 14), die auf das Ende warten (V 2).[1] Die Bestimmung der Gerechtigkeit aus dem Gesetz findet sich in dieser Überschrift, und zwar durch das Verbum ዐፈጠ:. Es gehört in den Bedeutungskreis von observare und custodire und stimmt mit dem griechischen τηρεῖν und φυλάσσειν überein. Für unsere Frage ergibt sich daraus, daß das Verhältnis des Gerechten zum Gesetz offenbar nicht als aktuelle und begrenzte Befolgung von einzelnen Geboten verstanden wird, sondern als prinzipielle und darin kontinuierliche Stellung zum Gesetz überhaupt. Dieses Verhältnis wird durch den Kontext noch sehr viel schärfer beleuchtet. Die in V 14 genannten Gerechten sind, wie die parallele Aussage V 13b zeigt, zugleich die „Treuen", wobei als Objekt dieser Treue sinngemäß „zum Gesetz" ergänzt werden kann.[2] Die Feststellung, daß die „Bewahrung" des Gesetzes identisch ist mit der „Treue", zeigt deutlich, daß hier ein grundsätzliches „Ja" zum Gesetz und nicht eine formal verstandene Gebotserfüllung im Vordergrund steht.

Dies geht in ähnlicher Weise aus einer Reihe von Stellen hervor, in denen der gleiche Begriff Verwendung findet.

IV. Esra 7 89: „In eo tempore commoratae servierunt cum labore Altissimo et omni hora sustinuerunt periculum, uti perfecte custodirent legislatoris legem."

Der Satz gehört in den Zusammenhang einer gegliederten Wesensbeschreibung derer, die in das endzeitliche Heil eintreten (vgl. V 78. 88). Sehen wir von dem Vordersatz ab, so bleibt wiederum die Aussage, daß die Gerechten das Gesetz „vollkommen bewahrt" haben. Noch deutlicher ist darin V 94: die Gerechten haben in ihrem Leben das anvertraute Gesetz bewahrt. Auch hier ist fraglos nicht eine formale Gebotserfüllung gemeint, sondern gerade jene Haltung, deren Gegensatz als „Verachtung" (vgl. V 79) bestimmt war.

syr. Bar. 44 14: „...diejenigen, die sich die Vorräte der Weisheit zu eigen gemacht haben,
    und bei denen sich die Schätze der Einsicht vorfinden,
    und die sich von der Gnade nicht losgesagt,
    und die die Wahrheit des Gesetzes
    bewahrt (custodire) haben."

Im letzten Glied dieses Satzes wird das Verhältnis des Menschen zum Gesetz durch dasselbe Verbum beschrieben (custodire) wie an den vorher zitierten Stellen auch. Aber hier wird der zugrunde

---

[1] Die nochmalige Anrede: „die ihr das Richtige (oder: das Bessere ሠናየ:) getan habt", V. 2, ist schlecht bezeugt und offenbar spätere Glosse.

[2] ፆዱማኖት: ein Lehnwort der Wurzel אמן.

liegende Sinn besonders deutlich. Das „Bewahren der Wahrheit des Gesetzes" kann nicht als Gebotserfüllung verstanden werden. Der „Wahrheit des Gesetzes" stehen parallel die „Wege des Gesetzes" (44 3), und in beiden Fällen wird die Gerechtigkeit durch denselben Begriff bestimmt: das Bewahren.[1] Die Terminologie zeigt die Verwurzelung des ganzen Abschnittes in der späteren Weisheitsliteratur,[2] und von daher ist auch der zitierte Vers zu verstehen. Er gehört in den Bereich der für die Weisheitsliteratur charakteristischen Zwei-Wege-Lehre, die die radikale Alternative zwischen Weisheit und Torheit, Gerechtigkeit und Sünde beschreibt. Auf diesem Hintergrund ist der Ruf zum „Bewahren" die Mahnung (admonere V 3), das Sein aus der Gerechtigkeit und Weisheit nicht aufzugeben,[3] sondern das jetzt offenbar noch bestehende, den Menschen ganz und gar bestimmende Verhältnis zu Weisheit und Gesetz zu erhalten.

Damit sind die Angaben, die den Gerechten unmittelbar vom Gesetz her beschreiben, bereits erschöpft. Ein ausführliches Bild vom Wesen des Gerechten hat sich daraus nicht ergeben. Aber zweierlei wurde deutlich:

1. Die Frage nach Gerechtigkeit oder Ungerechtigkeit entscheidet sich grundsätzlich am Gesetz. Das Gesetz ist der wesentliche Maßstab für Gerechte und Sünder.

2. Die Beziehung des Gerechten zum Gesetz wird nicht als Fülle einzelner Gebotseinhaltungen beschrieben. Im Vordergrund steht vielmehr die Vorstellung vom „Bewahren" des Gesetzes als einer Grundhaltung im Gegenüber zum Gesetz.[4] Diese Struktur der Ge-

---

[1] ꜩ = custodire auch 44 3!

[2] Die Einleitung V. 2 kennzeichnet den ganzen Abschnitt als Testament oder Abschiedsrede und rückt ihn so in große Nähe zu den stark weisheitlich beeinflußten Testamenten der XII Patriarchen. Weiterhin sind Vv. 9a. 10. 11 typisch weisheitliche Sentenzen, und überhaupt ist die ganze Begrifflichkeit des Abschnitts stark weisheitlich geprägt, vgl. das „Mahnen" 443; 451; die „Pfade" Gottes 446; die Lehre 452; die „Weisheit" und die „Einsicht" 4414.

[3] Vgl. das wiederholte „sagt euch nicht los", Vv. 3, 14.

[4] Dieser hier und öfter notierte Gegensatz darf natürlich nicht im exklusiven Sinne mißverstanden werden. Die die apokalyptischen Texte beherrschende Interpretation von Gesetz und Gerechtigkeit schließt die konkrete Gebotserfüllung nicht aus, sondern gerade ein. Das Fehlen jeglicher Erwähnung konkreter Einzelgebote legt nicht die Vermutung nahe, daß hier in einem mehr oder weniger ausgeprägten Liberalismus die Gebotserfüllung mißachtet würde; es fordert vielmehr die Annahme, daß die Erfüllung des Einzelgebotes, in dem das biblische Gesetz sich konkretisiert, als schlechthin selbstverständlich vorausgesetzt wird. Dadurch aber wird der oben genannte Gegensatz gerade einem Gesetzesverständnis gegenüber begründet, das in der Bewältigung der vom ganzen Gesetz isolierbaren einzelnen Gebotssituation den Gerechten sich bewähren sieht. Für die Apokalyptik steht indessen im einzelnen immer und prinzipiell das Ganze des Gesetzes und des Gottesverhältnisses auf dem Spiel, das nur einmal, nicht aber immer wieder verloren werden kann. Deshalb liegt hier das Thema der apokalyptischen Interpretation von Gesetz und Gerechtigkeit, und es fehlt die Tendenz, das Gesetz als Kodex seiner Gebote zu objektivieren.

rechtigkeit hat ihre genaue Entsprechung in der der Sünde, die ebenso als Grundhaltung und zwar als die der „Verachtung" gerade des Gesetzes, aber nicht nur des Gesetzes allein beschrieben wird.

2. *Das Leiden des Gerechten*

Bisher war vornehmlich unter formalen Gesichtspunkten nach dem Begriff der „Gerechtigkeit" gefragt worden. Deshalb sind jetzt die bestimmenden Merkmale des Gerechten, soweit sie ihn über die Gerechtigkeit hinaus beschreiben, genauer ins Auge zu fassen. Dabei stößt man auf eine Fülle von Aussagen über das Leiden des Gerechten.

a. Im äth. Hen. 103 9–15 heißt es von den Gerechten:[1]

> Sagt nicht von den Gerechten und Guten,
> die gelebt haben:
> 9 In den Tagen ihres Lebens haben sie sich
> mit ihrer mühseligen Arbeit abgeplagt
> und allerlei Beschwerlichkeit erfahren.
> Sie wurden von vielen Übeln betroffen
> und hatten von Krankheit zu leiden.
> Sie nahmen ab
> und wurden schwach an Geist.
> 10 Sie wurden verachtet
> und niemand half ihnen mit Wort und Tat.
> Sie vermochten nichts
> und erreichten nicht das Geringste.
> Sie wurden gemartert und vernichtet
> und hofften nicht, daß sie das Leben
> sehen würden Tag für Tag.[2]
> 11 Sie hofften, das Haupt zu sein,
> und wurden der Schwanz.[3]
> Sie plagten sich mit Arbeiten ab
> und erlangten keinen Lohn für ihre Mühen.
> Sie wurden zur Speise der Sünder,
> und die Ungerechten ließen ihr Joch
> schwer auf sie drücken.[4]
> 12 Die sie haßten und schlugen
> bekamen die Herrschaft über sie;
> denen, die sie haßten,
> beugten sie den Rücken,
> und sie hatten kein Mitleid mit ihnen.
> 13 Sie suchten ihnen zu entgehen,
> um sich in Sicherheit zu bringen
> und Ruhe zu bekommen;
> aber sie fanden keinen Ort,

---

[1] Wir folgen dabei Charles und Beer, die mit einer Handschrift (G) die 3. Pl. lesen. Dillmann, Henoch, z. St. liest die 1. Pl. Sachlich besteht kein Unterschied.

[2] Vgl. Dtn. 28 29.

[3] Vgl. Dtn. 28 13.

[4] Vgl. Dtn. 28 48.

> wohin sie fliehen
> und sich vor ihnen retten sollten.
> 14 Sie führten in ihrer Trübsal Klage über sie
> bei den Herrschenden
> und schrien über die, die sie verschlangen;
> aber sie beachteten ihr Geschrei nicht
> und wollten auf ihre Stimme nicht hören.
> 15 Sie halfen denen, die sie beraubten,
> verschlangen und verringerten;
> sie verheimlichten ihre Gewalttätigkeit
> und nahmen von ihnen nicht das Joch derer ab,
> die sie verschlangen, zerstreuten und mordeten.
> Sie verheimlichten ihre Hinmordung
> und dachten nicht daran,
> daß sie ihre Hände gegen sie erhoben hatten."

Der historische Hintergrund dieses Textes ist eindeutig die Zeit einer Religionsverfolgung. Die Gegner sind die Machthaber und ihr Anhang, von denen die Gerechten unterdrückt werden.[1] Dieses Schicksal der Unterdrückung wird in der Art eines Klagepsalmes in vielfältigen Motiven abgehandelt;[2] Thema ist das Leiden des Gerechten. Dabei ist von großer Bedeutung, daß dieses Leiden nicht auf eine einzelne und begrenzte politische Situation zurückgeführt wird. Es ist keine Rede davon, daß es den Gerechten früher oder vorher wohl erging, und daß jetzt in einer neuen Lage der Gerechte einmal leiden müßte. Es fehlt jeder Hinweis darauf, daß die Situation des Leidens eine bloß vorübergehende wäre, und daß sie allein auf diese konkreten Machthaber und nur sie zurückgehe. Im Gegenteil: es wird kein Name genannt; und jede konkrete historische Angabe unterbleibt. Vielmehr spricht der Text betont allein das Allgemeine aus, es geht ihm offenkundig um die Grundzüge des Leidens überhaupt. Freilich zeigt sich gerade darin wiederum seine Verhaftung in einer bestimmten geschichtlichen Epoche: die Unterdrückung hängt auf das engste mit politischen Intrigen zusammen, mit Parteien und Zwistigkeiten (V 15). Das verweist den Text historisch in die hasmonäische oder nachhasmonäische Ära. Aber gerade hier zeigen die so ganz allgemeinen und geradezu abstrahierten Aussagen die Absicht, das Leiden überhaupt zu beschreiben. Und ebendiese Intention tritt in gleicher Weise im ganzen Text hervor. Schon die einleitende Formel „in den Tagen ihres Lebens" erweist, daß es nicht nur um eine begrenzte Zeit, sondern um das Leben der Gerechten überhaupt geht. Dann folgt eine Fülle von

---

[1] Vgl. dazu Volz, Eschatologie, S. 18ff.
[2] Zur unmittelbaren Vorgeschichte dieses Textes gehört offensichtlich das alttestamentliche Klagelied, z.B. Ps. 22 13 ff. Vgl. dazu von Rad, Theologie des Alten Testaments, S. 396ff.

Sentenzen, die nur lose aneinandergefügt erscheinen und bereits jede für sich das Leiden des Leidenden beschreiben, oft unter abwandelnder Aufnahme biblischer Sätze (besonders 10–13). Der Text spricht hier für sich selbst: es geht ihm mit der Beschreibung der allgemeinen Struktur des Leidens um die Aussage, daß ebendieses Leiden *die* Situation des Gerechten in der Welt sei. Der Gerechte muß leiden; Gerechtigkeit und Leiden gehören notwendig zusammen.

Der Text bleibt allerdings bei dieser Aussage nicht stehen. Es folgt der Aufruf zur Hoffnung auf die Herrlichkeit im Jenseits (104 1ff.), die allein den hier leidenden Gerechten erwartet. Und diese beiden Sätze: die notwendige Zusammengehörigkeit von Leiden und Gerechtigkeit und die jenseitige Hoffnung für den Leidenden sind durchgehendes Gemeingut in der apokalyptischen Tradition. Sie finden sich, mehr oder weniger expliziert, sehr häufig.

So heißt es IV. Esra 7 89, daß die Gerechten, um das Gesetz zu „bewahren", „dem Höchsten unter Mühsalen gedient" und „zu jeder Stunde Gefahren erduldet" haben. Dieser Satz vom Leiden des Gerechten steht hier im Zusammenhang einer „Ordnung" (7 88) für die „Freuden" (7 92) des Frommen in der Heilszeit. Auch hier also stehen beide Motive zusammen. In ganz ähnlicher Weise erscheint das Motiv des Leidens in dem Bittgebet Esras 8 27:

> „Blicke nicht auf die Taten der Frevler,
> sondern auf die,
> die deine Bündnisse in Leiden bewahrt haben."

Vom Kontext der apokalyptischen Tradition her ist deutlich, daß hier nicht einzelne Märtyrer gemeint sind,[1] sondern die Gerechten insgemein. Das Lohnmotiv erscheint hier erst später, und zwar in der antwortenden Gottesrede (8 39).

Abschließend seien noch zwei weitere Stellen zitiert, die die beiden Motive vom Leiden des Frommen und seiner eschatologischen Hoffnung klar und eindeutig zum Ausdruck bringen:

syr. Bar. 15 8: „Denn diese Welt ist für sie (die Gerechten, vgl. V. 7) Mühe und Not bei vieler Anstrengung,
und jene also, die zukünftige,
eine Krone in großer Herrlichkeit."

48 50: „Denn wahrhaftig werdet ihr, wie ihr innerhalb dieser kurzen Spanne Zeit in dieser vergänglichen Welt, in der ihr ihr lebt, viele Mühe erduldet habt, ebenso in jener endlosen Welt
viel Licht empfangen."

---

[1] So Gunkel in Kautzsch II, S. 380, Anm. o.

Nach diesem Überblick über den Sachverhalt entsteht nun die Frage, wie es zu solchen Aussagen gekommen ist. Als sicher ist dabei anzunehmen, daß nicht wenigen Texten die konkrete geschichtliche Erfahrung der Gewalt und Bedrohung zugrunde liegt. Aber die Texte beschreiben ja doch auffälligerweise nicht nur und auch nicht nur überwiegend geschichtlich konkrete Erfahrungen. Sie bringen gerade keine rein historisch orientierte „Leidensgeschichte". Wie immer die Sätze von der notwendigen Zusammengehörigkeit von Gerechtigkeit und Leiden und der Hoffnung auf das Jenseits auf bestimmte historische Situationen zurückgehen mögen, in ihrer jetzigen Gestalt liegen sie in den Texten nicht anders als „dogmatisiert" vor, und damit entsteht die Frage nach Sinn und Ursache dieser Erscheinung. Dazu sind die Texte selbst auf ihre Aussagen hin zu befragen. Warum besteht für die apokalyptische Tradition dieser notwendige Zusammenhang zwischen Leiden und Gerechtigkeit, und welchen Sinn hat die eschatologische Hoffnung?

b. Die eben gestellte Frage findet sich im rabbinischen Schrifttum vielfach erörtert.[1] Etwas vereinfacht läßt sich diese Diskussion dahin zusammenfassen, daß das Leiden zunächst durchaus traditionell als Strafe für die Sünden verstanden wird. Mit dieser Strafe sollen aber dann die Sünden abgegolten sein, so daß die Gerechtigkeit dadurch wieder hergestellt wird. Dem Leiden kommt also eine sühnende Kraft zu, und zwar sowohl für vergangene Sünde wie auch für Sünde überhaupt.[2] So wird das Leiden in dieser Welt, indem es die Sünde sühnt, zum Zeichen für das im Jenseits bevorstehende Heil; der Fromme freut sich seines Leidens, weil es ihm zeigt, daß er hier für seine Sünden büßen darf, und daß ihm deshalb der jenseitige Lohn sicher ist.[3] Diese „Sühnetheorie" ist im Rabbinat für die Interpretation des Leidens beherrschend gewesen.[4] Vom Leiden des Gerechten ist daher nur insofern die Rede, als auch er Sünden zu sühnen hat.

In der Apokalyptik ist der Zusammenhang von Sünde und nachfolgendem Leiden als einer Strafe durchaus bekannt, wenngleich er keineswegs im Vordergrund steht.[5] Aussagen im Sinne der rabbi-

---

[1] Vgl. Strack-Billerbeck II, S. 274ff.; I, S. 636f. u.ö.

[2] Vgl. E. Lohse, Märtyrer und Gottesknecht, 1955, S. 29ff.; E. Schweizer, Erniedrigung und Erhöhung bei Jesus und seinen Nachfolgern, 1955, S. 35ff. – Vgl. ferner: Marmorstein, The old Rabbinic doctrine of God, 1927; Moore, Judaism II, S. 248ff.; Buechler, Studies in sin and atonement, 1928; Sjöberg, Gott und der Sünder, S. 169ff.

[3] Nach b. Sanh. 101a freute sich R. Akiba über die Krankheit seines Lehrers, weil sich darin zeigte, daß sein Lohn ihm noch bevorstehe, vgl. Strack-Billerbeck I, S. 390; Schweizer, Erniedrigung und Erhöhung, S. 37.

[4] Vgl. Strack-Billerbeck II, S. 274ff.

[5] Vgl. z.B. die Siebzighirtenvision, wo auf jeden „Abfall" sogleich das Unheil für die Abgefallenen folgt, äth. Hen. 89 54. 74; ferner: Ass. Mos. 2 8ff.; syr. Bar. 1 2ff.; 84 2ff.

nischen Sühnetheorie fehlen dagegen nahezu vollständig. Es ist lediglich eine Stelle, die seit VOLZ und WICHMANN[1] in diesem Zusammenhang herangezogen wird:

> syr. Bar. 13 8 f.: „Das Gericht des Erhabenen ist unparteiisch. Darum hat er seiner Kinder anfangs nicht geschont, sondern hat sie gepeinigt wie seine Hasser, weil sie gesündigt hatten.
> Damals also sind sie gezüchtigt worden,
> damit sie entsündigt (ܣܒܚ) werden könnten."

Diese Sätze könnten in der Tat im Sinne der rabbinischen Sühnetheorie zu verstehen sein. Sie könnten aber auch durchaus in den Zusammenhang des Sünde-Strafe-Schemas gehören. Das ist um so wahrscheinlicher, als derartige Aussagen im syr.Bar. einige Male zu belegen sind.[2] Von einer ausgebildeten Sühnetheorie kann aber im syr.Bar. keineswegs die Rede sein, und erst recht nicht in der apokalyptischen Tradition im ganzen.[3] Neben gelegentlichen Erwähnungen des Sünde-Unheil-Zusammenhanges ist es hier gerade kennzeichnend, daß vom Leiden des Gerechten – als Gerechten und nicht wegen seiner Sünde – gesprochen wird. Es ist daher mißverständlich, wenn die rabbinischen Vorstellungen verallgemeinert dem ganzen Spätjudentum unterstellt werden.[4] Liegt aber nun eine „Sühnetheorie" der apokalyptischen Tradition fern, so erhebt sich verschärft die Frage, welchen Sinn das Leiden des Gerechten und welche Bedeutung seine eschatologische Hoffnung hier hat.

c. Zur Beantwortung dieser Fragen ist zunächst noch einmal auf das Wesen der Sünde einzugehen. Es war oben gezeigt worden, daß der Sünde nicht eigentlich eine eigene Position im Gegenüber zur Gerechtigkeit zukommt, daß sie vielmehr ihrem Wesen nach als „Ablehnung" und „Verachtung", als Negation dessen, was die

---

[1] Volz, Jüdische Eschatologie von Daniel bis Akiba, 1903, vgl. § 29; Wichmann, Die Leidenstheologie, eine Form der Leidensdeutung im Spätjudentum, 1930; Wichmann versucht, von 13 8 f. her den ganzen syr. Bar. im Sinne dieser „Leidenstheologie" zu interpretieren. Er baut darauf die These, daß hier ein Schüler R. Akibas gegen den Pessimismus des IV. Esra polemisiere, wobei er dessen literarisches Vorbild übernehme. Wichmanns Einzelbeobachtungen über das literarische und polemische Verhältnis des syr. Bar. zum IV. Esra sind dabei aufschlußreich und wichtig, vgl. auch Eißfeldt, Einleitung in das Alte Testament, 1956, S. 778; aber anders Rowley, The relevance of apocalyptic, S. 103 ff.; aber der Ansatz Wichmanns von der „Leidenstheologie" aus übersieht, daß es sich beim syr. Bar. vielleicht um gelegentliche Beeinflussungen seitens der rabbinischen Vorstellungen, nicht aber um eine zusammenhängende Konzeption handelt.

[2] Vgl. 1 2 ff.; 78 5 ff.; 84 2 ff.

[3] Strack-Billerbeck können in ihrer großen Zusammenstellung über die Bedeutung der Leiden II, 274 ff. aus apokalyptischen Texten nur syr. Bar. 13 8 ff. zitieren (S. 276)!

[4] Vgl. z.B. Lohse, Märtyrer und Gottesknecht, S. 29 ff.; Schweizer, Erniedrigung und Erhöhung, S. 37; Michaelis in ThWB V, S. 909 weist auf einen Unterschied zwischen den Pseudepigraphen und dem Rabbinat hin.

Gerechtigkeit ausmacht, bestimmt war. Diese Vorstellung ist jetzt in einem Punkte zu vervollständigen.

IV. Esra 7 79: „Wenn er aber einer von den Verächtern ist,
   die die Wege des Höchsten nicht bewahrt,
   und die sein Gesetz verschmäht,
   und die Gottesfürchtigen gehaßt..."

In diesem Vers ist der Charakter der Sünde als „Verachtung" besonders deutlich ausgesprochen. Aber jetzt ist darauf zu achten, daß hier ineins mit dieser „Ablehnung" ein Weiteres genannt ist: der Haß der Sünder gegen die Frommen. In der ganz ähnlichen Reihe 8 56f. erscheint die gleiche Aussage:

(sie haben) „den Höchsten verachtet,
   sein Gesetz verworfen,
   seine Wege verlassen,
   dazu seine Frommen zertreten."

Es gehört demnach zur „Ablehnung" und zur „Verachtung" und damit zum Sündersein der „Haß" und das „Zertreten" der Frommen hinzu. Und das heißt: die Negation der Gerechtigkeit ist immer auch und zugleich die Negation des Gerechten, und zwar in der konkreten Gestalt von Haß und Verfolgung. Sofern und indem der Mensch sich gegen Gott und das Gesetz richtet und dadurch zum Sünder wird, richtet er sich zugleich gegen den Gerechten.

Dieser Satz von der Unterdrückung der Gerechten durch die Sünder läßt sich reichlich belegen. So heißt es im Zusammenhang einer Reihe von Wehe-Rufen über die Sünder in den Paränesen des äth. Hen. (95 7):

„Wehe euch Sündern,
   weil ihr die Gerechten verfolgt;
   denn ihr werdet dahingegeben und verfolgt
   werden, ihr Ungerechten,
   und ihr (sc. der Gerechten) Joch
   wird schwer auf euch lasten."

Hier liegt das eigentliche Ziel der Aussage darin, daß die jetzt von den Sündern verfolgten Gerechten im Eschaton über sie triumphieren werden (vgl. V. 3). Noch schärfer wird das in den Bilderreden formuliert:

äth. Hen. 62 11: „Die Strafengel werden sie in Empfang nehmen,
   um Rache an ihnen dafür zu nehmen,
   daß sie seine Kinder und Auserwählten mißhandelt haben."

Gemeint sind die „Könige und Mächtigen" (V. 9), die aber zugleich als „Sünder und Ungerechte" angeredet werden (V. 13). Ihnen gilt die eschatologische Rache. Ähnlich ist 53 7:

> „...und die Gerechten werden
> vor der Bedrückung der Sünder Ruhe haben."

In den gleichen Zusammenhang gehören ferner einige Verse aus dem oben zitierten Klagepsalm (äth. Hen. 103 9ff.; vgl. S. 115f.): Die Gerechten werden „zur Speise der Sünder" (V. 11f.), sie leiden unter ihrem Joch, sie werden gehaßt und geschlagen. Aber ihnen gilt die eschatologische Verheißung (104 1ff.). Abschließend sei noch auf syr.Bar. 52 5–7 hingewiesen:

> „Und die Gerechten, was sollen die jetzt tun?
> Habt eure Lust an dem Leiden,
> das ihr jetzt leidet.
> Denn warum schaut ihr danach aus,
> daß eure Hasser zu Fall kommen?
> Bereitet euch vor auf das,
> was euch zugedacht ist,
> und macht euch geschickt für den Lohn,
> der euch hingelegt ist."

Auch hier finden sich alle traditionellen Motive: die Gerechten leiden, und zwar offenkundig unter den „Hassern", deren Fall sie erhoffen, und das Trostwort weist sie auf die eschatologische Verheißung hin.[1]

Nehmen wir diese Aussagen mit dem zusammen, was sich weiter oben über das Leiden ergeben hat (vgl. S. 115ff.), so zeigt sich zunächst, daß die Apokalyptik ganz betont vom Leiden des Gerechten redet. Das Leiden ist die Situation des Gerechten in dieser Welt. Dabei ist wohl zu beachten, daß es in diesem Zusammenhang niemals um das Leiden als Strafe oder Folge der Sünde geht. Der Gerechte litte dann ja auch nicht um seiner Gerechtigkeit, sondern um seiner, wenn auch nur zeitweiligen, Sünde willen. Er wird aber hier überall nur als „der Gerechte" beschrieben, und ein Grund für sein Leiden liegt niemals in ihm selbst. Auf ihn selbst gesehen, leidet er also unschuldig und grundlos.

In diesem Punkte dürfte der Grund für den weitreichenden Unterschied zur rabbinischen Auffassung liegen. Das Rabbinat kennt den Satz vom grundlosen Leiden des Gerechten in dem Sinne, daß

---

[1] Gerade diese Stelle kann deshalb nicht von der rabbinischen Sühnetheorie her verstanden werden, wie offenbar Lohse, Märtyrer und Gottesknecht, S. 30, meint. Auch Michaelis, ThWB V, S. 909, hält sie für „weniger deutlich".

dies prinzipiell seine Situation in der Welt wäre, nicht.[1] Abgesehen von relativ späten Diskussionen über das Märtyrertum[2] gehört hier die Frage des Leidens in den Zusammenhang von Schuld und Sühne.

Aber in einem bestimmten Sinne wurde in der Apokalyptik die Frage nach dem Grund für das Leiden des Gerechten nun doch beantwortet: er liegt wesentlich im Haß des Sünders. Dem unentrinnbaren Zusammenhang von Sünde und Haß auf der einen Seite entspricht der von Gerechtigkeit und Leiden auf der anderen. Und damit ist das Problem in entscheidender Weise verlagert worden. Das Leiden des Gerechten kann nicht von seinem eigenen Sein und Leben her bestimmt werden, sondern nur von seinem Gegenüber zu Sünde und Ungerechtigkeit her. Die Frage rückt so in den sehr viel größeren und grundlegenden Zusammenhang derjenigen nach Gerechtigkeit und Sünde überhaupt.

3. *Die Hoffnung des Gerechten*

Bevor auf den ebengenannten umfassenden Zusammenhang eingegangen werden kann, ist zunächst jener andere Satz näher ins Auge zu fassen, der mit dem vom Leiden des Gerechten in betonter Verbindung steht: die eschatologische Hoffnung. Es war oben deutlich geworden, daß den Aussagen über das Leiden des Gerechten der Hinweis auf sein eschatologisches Heil unmittelbar folgte. Dieses Heil wird in vielfältigen Motiven beschrieben, und zwar sehr häufig auch ohne Zusammenhang mit dem vorherigen Leiden.

a. Dabei scheint sich zunächst eine große Gruppe von Aussagen herauszuheben, die die eschatologischen Heilsgüter beschreiben: das neue Jerusalem,[3] das Paradies,[4] den Lebensbaum[5] u.a.m. Aber alle diese Aussagen beschränken sich nicht auf eine bloße Darstellung der Heilsgüter. Sie stehen vielmehr alle in unmittelbarer Verbindung mit Aussagen über den Gerechten selbst. Dazu einige Beispiele.

[1] Strack-Billerbeck, die diesen Zusammenhang im Rahmen der Frage nach Glauben und Werken erörtern (III, S. 186ff.), kommen zu dem Ergebnis, daß Sätze wie der vom „geduldigen Ausharren in aller Trübsal" nicht aus der rabbinischen Literatur belegt werden können: „Die eigentliche rabbinische Literatur, obwohl auch sie den Glauben zu rühmen weiß, hat sich zu einer solchen Höhe des Urteils über den Glauben und das Leben im Glauben, wie wir es in den Pseudepigraphen und bei Philo finden, nirgends erhoben" (S. 188).

[2] Vgl. Strack-Billerbeck I, S. 220ff. Selbst hier wird der Tod weithin in den Zusammenhang mit der Sühne, immer aber in den des Verdienstes gestellt, vgl. Lohse, Märtyrer und Gottesknecht, S. 66ff.

[3] Vgl. äth. Hen. 90 29; IV. Esra 10 54; syr. Bar. 4 1 ff.; u.ö.

[4] Vgl. äth. Hen. 24 1 ff.; IV. Esra 8 52; syr. Bar. 51 11 u.ö.

[5] Vgl. äth. Hen. 25 4.

In IV. Esra 8 51ff. wird der Seher ermahnt, an sein eigenes und der Gerechten künftiges Geschick zu denken. Dabei werden zunächst die Heilsgüter genannt:

> 52 „Für euch ist das Paradies eröffnet,
> der Lebensbaum ist gepflanzt,
> der künftige Äon ist bereitet,
> die Seligkeit ist bereitet,
> die Stadt ist erbaut,
> die Ruhe ist gerüstet,
> die Güte ist vollendet,
> die Weisheit ist bereitet;"

Aber diese Reihe fährt nun ohne Übergang und Unterbrechung fort:

> 53 „der Keim (der Sünde) ist vor euch versiegelt,
> die Krankheit ist vor euch getilgt,
> der Tod ist verborgen,
> das infernum (syr. äth.: 'Scheol') entflohen,
> die Vergänglichkeit vergessen,
> 54 die Schmerzen vorüber,
> und zum Schluß sind die Schätze des Lebens erschienen."

Hier, in diesem zweiten Teil der Reihe, werden nicht mehr die Heilsgüter, sondern die Gerechten selbst beschrieben, freilich in gegenständlicher Weise. Es entsteht das Bild des Gerechten in der Heilszeit, der frei ist von Sünde, Krankheit, Tod, Vergänglichkeit und den Leiden dieser Welt. Als solcher ist er zugleich der vorher genannten Güter teilhaftig. Darin wird deutlich, daß die Heilsgüter nicht „an sich" beschrieben werden, sondern der Darstellung des eschatologischen Gerechten dienen. So steht denn auch die ganze Reihe unter der Überschrift der „Herrlichkeit" (V. 51) der Gerechten (vgl. V. 49).

Ganz ähnlich ist der Zusammenhang in äth. Hen. 48 1:

„An jenem Orte sah ich einen Brunnen der Gerechtigkeit, der unerschöpflich war.
Rings umgaben ihn viele Brunnen der Weisheit.
Alle Durstigen tranken daraus und wurden voll von Weisheit, und sie hatten ihre Wohnungen bei den Gerechten, Heiligen und Auserwählten."

Auch hier also zunächst die Beschreibung eines Heilsobjektes: der Brunnen der Gerechtigkeit und Weisheit. Aber diese Beschreibung ist nicht eigentlicher Gegenstand der kleinen Vision.[1] Beschrieben werden vielmehr die Gerechten, die dieser Heilsgüter teilhaftig geworden sind und sich ihrer bedienen. Nicht der Brunnen

---

[1] Man beachte das einleitende חזה. Nach Stier, Zur Komposition und Literarkritik der Bilderreden, 1935, S. 87, gehört das Stück zur I. Visionsquelle.

steht im Vordergrund der Vision, sondern das Bild des eschatologischen Gerechten.

Das Ziel der Aussagen, das sich darin anzeigt, kommt selbst in den großen Abschnitten des äth. Hen. über das Paradies zum Ausdruck. In den Kap. 24–25 liegt eine ausführliche Beschreibung des paradiesischen Gartens mit dem göttlichen Thron und dem Baum des Lebens vor. Henoch bittet dann um eine Erklärung der Anlage (25 2). Die Antwort des angelus interpres lautet:

25 4 „Diesen wohlriechenden Baum hat kein Fleisch die Macht, anzurühren...
dann wird er den Gerechten und Demütigen übergeben werden.
5 Seine Frucht wird den Auserwählten zum Leben dienen...
6 Dann werden sie sich überaus freuen und fröhlich sein...
Sie werden ein längeres Leben auf Erden führen...
In ihren Tagen wird weder Trübsal noch Leid oder Mühe und Plage sie berühren."

Die „Wahrheit" des Baumes (25 1)[1], nach der Henoch fragt, liegt also nicht in diesem Baum oder im Paradies selbst, sondern in ihrer Bedeutung für die Gerechten. Diese Bedeutung wird von dem Engel als Antwort an Henoch expliziert. Es geht nicht in erster Linie um das Paradies und den Lebensbaum, sondern um den Gerechten. Wiederum steht sein Bild im Vordergrund.

b. Diese Beispiele ließen sich beliebig vermehren. Aber was sie zeigen, kommt an anderen Stellen, in denen unmittelbar das eschatologische Sein des Gerechten entfaltet wird, noch deutlicher zum Ausdruck.

äth. Hen. 39 7: „Alle Gerechten und Auserwählten vor ihm glänzen wie Feuerschein! Ihr Mund ist voll von Segensworten, ihre Lippen preisen den Namen des Herrn der Geister, und Gerechtigkeit hört nimmer vor ihm auf."
äth. Hen. 58 3: „Die Gerechten werden im Lichte der Sonne und die Auserwählten im Lichte des ewigen Lebens sein;
ihre Lebenstage haben kein Ende,
und die Tage der Heiligen sind ungezählt."
syr. Bar. 51 12: „Die Herrlichkeit aber wird
alsdann bei den Gerechten größer sein als bei den Engeln."

Auch hier bleibt die Rede durchaus gegenständlich, und die gemeinte Sache kommt nicht direkt zum Ausdruck. Aber es ist ohne weiteres deutlich, daß hier nicht von Gaben als Gegenständen, die außerhalb der Gerechten selbst sind und bleiben werden, gesprochen wird. Gemeint ist vielmehr das Sein der Gerechten selbst. Dieses Sein der Gerechten ist expliziert, wenn von ihrer „Herrlichkeit",

---

[1] Nach dem griechischen Text, der hier mit dem äthiopischen übereinstimmt, fragt der Engel: διὰ τί θέλεις τὴν ἀλήθειαν μαθεῖν;

ihrem „Glänzen", ihrem „Leben" und „Licht" die Rede ist. Aber
dieses Sein der Gerechten wurde auch da entfaltet, wo es von der
Bedeutung der Heilsgüter her in den Blick kam. Und darin zeigt
sich die hier grundlegende Vorstellung: die eschatologische Hoffnung richtet sich im Kern nicht auf gegenständliche Heilsgaben,
sondern auf das vom Heil her bestimmte Sein des Gerechten selbst.
Wo immer auf die eschatologische Hoffnung des Gerechten verwiesen wird – und es zeigte sich, daß das besonders im Zusammenhang von Aussagen über sein Leiden in dieser Welt der Fall war –,
wird es auf sein aus dem Heil begründetes Sein hin getan.

Für die inhaltliche Beschreibung des Seins der Gerechten findet
dabei besonders eine Terminologie Verwendung, die traditioneller-
weise für himmlische Wesen und für Gott selbst in Geltung war.
Ganz im Vordergrund steht der Begriff כבוד.[1] Einerseits ist eine
durchgehende Gottesbezeichnung „Herr der Herrlichkeit".[2] Andererseits heißt es von den Gerechten, daß sie mit dem „Kleide der
Herrlichkeit" angetan werden, und daß ihre „Herrlichkeit nicht
vergehen" wird (äth. Hen. 62 16).[3] Ganz Ähnliches gilt vom „Licht
Gottes" (vgl. äth. Hen. 38 4; 58 6), das zugleich auch von den Gerechten „strahlen" wird (äth. Hen. 38 4; 39 7). Ferner heißt es
häufig, daß die Gerechten den Engeln gleichen werden.[4] So wird das
eschatologische Sein der Gerechten in unmittelbarer Analogie zu
dem Gottes und der himmlischen Wesen beschrieben. Der Grund
dieses Seins – und das ist nun wohl zu beachten – liegt also nicht in
dieser Welt, sondern in der himmlischen. Daher kann von dieser
Welt her keine Aussage darüber gemacht werden. Wo immer das
Sein des Gerechten beschrieben werden soll, muß das von der himmlischen Welt, und damit vom Ende der Geschichte, her geschehen.

c. Kann nun der Gerechte nicht anders beschrieben werden, als
von dem her, was er sein wird, so gilt doch, daß er ja bereits in
dieser Welt als „Gerechter" ist. Die eschatologischen Titel, die das
Sein in der Heilszeit ausdrücken: Gerechter, Auserwählter, Frommer,[5] gelten ihm bereits in dieser Welt. Gerade darin liegt ja die
Gerechtigkeit des Gerechten, daß er ohne Zäsur für ihn selbst durch

---

[1] Vgl. dazu von Rad und G. Kittel in ThWB II, S. 235ff., besonders S. 250.
[2] ኢግዚእ ፡ ስብሐት ፡ = κύριος τῆς δόξης äth. Hen. 25 3; 27 5; 63 2; vgl. IV. Esra 7 42;
7 91; syr. Bar. 21 23; 30 1.
[3] Vgl. IV. Esra 7 95; 8 51; syr. Bar. 51 12; äth. Hen. 58 2; slav. Hen. 22 8(B).
[4] Vgl. äth. Hen. 51 4; 104 6; syr. Bar. 51 10. In diesen Zusammenhang der Ähnlichkeit
mit den Engeln, nicht aber in den mit dem Licht Gottes dürfte es gehören, wenn den
Gerechten das „Glänzen wie Sterne" verheißen wird, vgl. äth. Hen. 104 2; IV. Esra
7 97; dazu Gunkel in Kautzsch II, S. 375.
[5] Vgl. dazu Volz, Eschatologie, S. 351 f.

den eschatologischen Akt hindurch in das Heil eingeht. Aber damit unterliegt er nun auch den gleichen Bestimmungen, die für das Verhältnis zwischen dieser Welt und dem Heil gelten. In dieser Welt und in der Geschichte ist das Heil „verborgen“, es ist absolut unzugänglich und wird erst am Ende der Zeit offenbar werden. So ist auch die Gerechtigkeit des Gerechten in dieser Welt verborgen und unzugänglich bis zum Ende. Diese Vorstellung findet ihren deutlichen Ausdruck darin, daß das eschatologische Geschehen an den Gerechten mit der Offenbarungsterminologie beschrieben werden kann.

äth. Hen. 38 3: „Wenn die Geheimnisse der Gerechten offenbar werden,
dann werden die Sünder gestraft
und die Bösen vor den auserwählten Gerechten hinweggetrieben
werden.“

G. Bornkamm hat gezeigt, daß die „Geheimnisse“ den „verborgenen, jenseitigen Wirklichkeitsgrund der Dinge“ bezeichnen.[1] Die „Geheimnisse der Gerechten“ sind also nichts anderes als der verborgene Grund ihres Seins. Und die Offenbarung dieses Seinsgrundes ist hier Inhalt des eschatologischen Aktes. Seine unmittelbare Folge, nicht ein unabhängiges Ereignis, ist das Verschwinden der Sünde und der Sünder. Das eschatologische Gericht trägt hier allein die Züge der Offenbarung. Die gleiche Vorstellung steht hinter dem Satz über den Menschensohn äth. Hen. 49 2:

„Denn er ist mächtig über alle Geheimnisse der Gerechtigkeit,
und Ungerechtigkeit wird wie ein Schatten vergehen und keine Dauer haben.“

Im Gericht werden die „Geheimnisse der Gerechtigkeit“, hier im Zusammenhang mit der eschatologischen Funktion des Menschensohnes, hervortreten. Bis dahin und in dieser Welt ist die Gerechtigkeit verborgen. Deshalb liegt in der Offenbarung seines Seins das Wesen der Hoffnung für den Gerechten.

d. Für die weitere Erörterung ist der Blick zunächst noch einmal auf einen oben bereits besprochenen Problemkreis zu richten. Es war besonders am Entwurf des IV. Esra deutlich geworden, daß diese Welt und Geschichte ihre jetzige Struktur durch den Entzug des Heils und sein Entschwinden in die Künftigkeit des kommenden Äon erhalten haben. Diese Welt ist dadurch wesentlich eine Welt des Unheils, und das zum Heil erwählte Volk muß, um an sein Ziel zu gelangen, durch diese Welt hindurchgehen. In dieser Situation:

[1] ThWB IV, S. 821; vgl. oben S. 66.

zum Heil erwählt, und doch in der Welt des Unheils, findet sich
Israel ebendiesem Unheil preisgegeben. Die nichterwählten Völker
beherrschen und unterdrücken das erwählte Volk.

Die Analogie zu den Aussagen über den Gerechten ist deutlich.
Auch er, der für das Heil bestimmt ist, ist dem Leiden und Unheil
preisgegeben; denn das Heil erwartet ihn erst im neuen Äon. Und
der Grund dafür ist kein anderer als der, der für die Situation des
ganzen Volkes galt: weil diese Welt durch den Entzug des Heils
geprägt ist, muß der Gerechte notwendig dem Unheil ausgeliefert
sein. Weil sein Sein vom Heil im neuen Äon her bestimmt ist, deshalb wird der Gegensatz zu dieser Welt unausweichlich. Die Be-
drückung durch Völker und Ungerechte ist nicht mehr eine mögliche, sondern die notwendige Situation. Und zwar nicht, weil die
Völker und Ungerechten diese Welt pervertiert hätten – sie stimmen
ja gerade mit ihr überein –, sondern weil die Gerechten und das
erwählte Volk den Fremdkörper bilden, der vom ganz anderen,
neuen Äon her bestimmt ist und so den Gegensatz zu dieser Welt
allererst herausfordert. Damit ist auch der Grund für das Leiden
des Gerechten genannt. Er liegt in der Verborgenheit seiner Gerechtigkeit und also darin, daß der Gerechte durch die jenseitige
Begründung seiner selbst zu dieser Welt ihrem Wesen nach in
Widerspruch steht – nicht aber in einer Usurpation der Welt durch
den Sünder. Daher gehört das Leiden des Gerechten für die Apokalyptik weder in den Zusammenhang eines Sünde-Sühne-Schemas
noch in den der Verdienst-Vorstellung.

Damit sind nun die Grundzüge dessen, was die apokalyptische
Tradition unter „Gerechtigkeit" und „Ungerechtigkeit" versteht,
deutlich geworden. Beachtet man, daß der Ausgangspunkt, von dem
her sich der Grund der Gerechtigkeit ergibt, wesentlich das Gesetz
ist, so wird nun die eigentliche Bedeutung des Gesetzes klarer hervortreten können. Dieser Bedeutung des Gesetzes ist daher im
nächsten Abschnitt zusammenfassend nachzugehen.

V. Die geschichtliche Funktion des Gesetzes

1. Die Gerechtigkeit des Gerechten, so hatte sich ergeben, liegt
für die apokalyptische Tradition darin, daß er das Gesetz „bewahrt". Die Frage, die jetzt zu stellen ist, ist die, was in solchem
„Bewahren" geschieht.

Dabei ist zunächst deutlich, daß hier nicht die Befolgung einzelner Gebote im Vordergrund steht. Schon der erste Überblick hatte gezeigt, daß an keiner Stelle einzelne Gebote ihrem Inhalt nach expliziert oder auch nur erwähnt werden. Und aus der Terminologie, mit der die Beziehung des Menschen zum Gesetz beschrieben wird, ergab sich, daß eine solche Gebotserfüllung nach dem Vorbild des pharisäischen Rabbinats gar nicht gemeint sein kann. Das „Bewahren", „sich Unterwerfen", „Lieben" beschreibt etwas anderes als die minutiöse Beachtung einzelner gesetzlicher Bestimmungen, wie ebenso die als „Abfall" und „Verachtung" verstandene Sünde sich von der mangelnden Gebotsbefolgung unterscheidet. Freilich kann damit nicht gesagt sein, daß die apokalyptische Tradition die Erfüllung der Einzelgebote ablehnt. Es spricht nichts gegen die Annahme, daß auch der Fromme der Apokalyptik den einzelnen Bestimmungen des Gesetzes unterworfen war, wenn auch sicher nicht im pharisäischen Sinn und Ausmaß.[1] Aber diese Erfüllung der konkreten einzelnen Gebote ist für die theologische Konzeption der Apokalyptik ohne entscheidende Bedeutung. Das Gesetz hat seinen wesentlichen Sinn nicht darin, eine Sammlung einzelner Bestimmungen zu sein, und entsprechend beschreibt das „Bewahren" des Gesetzes nicht die Gebotsbefolgung.

Vielmehr hat sich ergeben, daß das Gesetz eng verklammert ist mit einer Reihe von Begriffen, die im heilsgeschichtlichen Entwurf der Apokalyptik von besonderer Bedeutung sind. Und nach diesem Entwurf vollzieht sich in der Geschichte das planmäßige Handeln Gottes mit dem Ziel, das erwählte Volk auf das eschatologische Heil hin zu führen. Beachtet man nun, daß die Heilsteilnahme damit einerseits dem erwählten Volk, aber andererseits den im „Bewahren" des Gesetzes Gerechten verheißen wird, so zeigt sich darin die entscheidende Funktion des Gesetzes an: wer das Gesetz „bewahrt", gehört zum erwählten Volk. Die Bedeutung des Gesetzes in der Apokalyptik liegt darin, daß es dem einzelnen seine Zugehörigkeit zum Gottesvolk erhält, daß er so Glied der erwählten Gemeinde bleibt und mit auf das Heil hin geführt wird. Dieser für die Apokalyptik entscheidende Satz ist nun in einigen Grundzügen zu verdeutlichen.

a. Es war bisher unbeachtet geblieben, daß in der Begrifflichkeit, mit der die Beziehung des Menschen zum Gesetz beschrieben wird, eine bestimmte Voraussetzung deutlich zum Ausdruck kommt: zur

---

[1] Das ergibt sich eindeutig aus dem Fehlen jeder Erwähnung der „mündlichen Tora" in der Apokalyptik, die eine unabdingbare Voraussetzung der pharisäischen Theologie darstellt; vgl. den ähnlichen Hinweis bei Friedländer, Die religiösen Bewegungen innerhalb des Judentums, 1905, S. 23.

Heilsgemeinde kann allein der Israelit gehören. An keiner Stelle ist die Rede davon, daß Fremde zum Gesetz bekehrt werden sollen.[1] Das „Bewahren" des Gesetzes impliziert, daß der Fromme immer schon zur Heilsgemeinde gehört, und an seinem Verhältnis zum Gesetz entscheidet sich allein, ob er darin bleibt. Nicht das Gesetz konstituiert die Heilsgemeinde, sondern die Erwählung. Indem die Gerechten am Gesetz festhalten, entsteht nicht als neue geschichtliche Größe ein Kreis der künftigen Teilnehmer am Heil, sondern im Festhalten am Gesetz vollzieht sich das Bleiben im erwählten Volk. Bezeichnend ist dafür der Parallelismus der Aussagen äth. Hen. 5 4:

$$\text{ὑμεῖς δὲ οὐκ ἐνεμείνατε (} \text{שׁעור :)}$$
$$\text{οὐδὲ ἐποιήσατε κατὰ τὰς ἐντολὰς αὐτοῦ.}$$

Am Verhältnis zu Gesetz und Gebot entscheidet sich das „Bleiben", auf dem in diesem Text größtes Gewicht liegt. Von Kap. 2 ab wird an der Natur dieses „Bleiben" demonstriert. Das Naturgeschehen zeigt, wie die Werke der Schöpfung in der ihnen von Gott gegebenen Ordnung bleiben und sie nicht verändern.[2] Die Sünder aber wenden sich gerade von diesem μένειν ab, indem sie das Gesetz nicht erfüllen. Entsprechend ist der positive Sinn dieser Aussage, daß im Erfüllen des Gesetzes sich das Bleiben in der vorgegebenen Ordnung, im Gottesvolk, vollzieht.

b. Besonders deutlich wird dieser Zusammenhang vom apokalyptischen Verständnis der Sünde her. Ganz im Vordergrund stand dabei die Auffassung, daß das Wesen der Sünde der „Abfall" ist. Innerhalb der Paränesen des äth. Hen. heißt es, daß die Sünder, indem sie das Gesetz „verkehren", „sich selbst zu dem machen, was sie (vorher) nicht waren: zu Sündern" (99 2). Sünder ist der, der ursprünglich zur Heilsgemeinde gehört und der im Abfall vom Gesetz zugleich aus der Heilsgemeinde herausfällt. Im ganzen zeigte die Begrifflichkeit, mit der das Verhältnis des Sünders zum Gesetz expliziert wird, daß weder dem Heiden die Unkenntnis von göttlichen Forderungen noch dem Juden die Vernachlässigung einzelner Bestimmungen vorgeworfen wird, sondern daß als Wesen der Sünde mit der Ablehnung und Verachtung des Gesetzes zugleich der Abfall von Israel verstanden wird. Denn das „Verschmähen" des Gesetzes gilt niemals isoliert. Wo das Gesetz abgelehnt wird,

---

[1] In IV. Esra 7 133 meint das „conversionem facere in lege" nicht die Bekehrung von Heiden, sondern das Hinwenden Israels zum Gesetz, wie der ganze Zusammenhang zeigt. Gunkel in Kautzsch II, S. 378, übersetzt daher sinngemäß mit Recht: „Die nach seinem Gesetze wandeln."

[2] Vgl. besonders 2 1. 2; 5 2. 3.

vollzieht sich immer auch der Abfall von Gott, von seiner Weisheit, seinen Wegen, seinen Verheißungen, und also von allem, was das erwählte Volk bestimmt. Sofern aber der Sünder, indem er das Gesetz verläßt, zugleich seine Zugehörigkeit zum Gottesvolk aufgibt, gilt für den Gerechten, daß ihm im „Bewahren" des Gesetzes gerade diese Zugehörigkeit erhalten bleibt.

c. Indem nun der Fromme am Gesetz bleibt, verfällt er dem Leiden. Dieses Leiden ist unausweichlich; denn es entsteht aus dem Haß des Sünders, der in der heillosen Welt herrscht. In genauer Entsprechung zu diesem Geschick des einzelnen Gerechten steht die geschichtliche Situation des erwählten Volkes. Wie der Fromme den Sündern, so ist Israel den Völkern preisgegeben, und zwar durch die ganze Geschichte hindurch bis zum eschatologischen Anbruch des Heils. Die Gerechtigkeit bringt den Frommen also in die gleiche Situation, die dem Volk durch die Erwählung innerhalb der Geschichte auferlegt ist. Es zeigt sich auch hier, daß im Bewahren des Gesetzes die Zugehörigkeit zum Gottesvolk begründet ist.

d. So ist Israel die Gemeinschaft derer, die durch das Gesetz zusammengehalten werden. Wer das Gesetz verläßt, verläßt das Volk. Die Begründung dieses Volkes und seine Bestimmung für das Heil war aber durch die vorzeitliche Erwählung geschehen. Und sofern nun das Gesetz die Funktion erfüllt, im Ablauf der Geschichte das sammelnde und einende Fundament dieses Volkes zu sein, wird es zum konkreten Dokument der Erwählung. Denn innerhalb der Geschichte, die wesenhaft als Zeit der Heilsferne bestimmt war, ist dem erwählten Volk notwendig alles „verborgen", was dieses Volk als es selbst bestimmt – bis auf das Gesetz.

Nun war, besonders am Entwurf des IV. Esra, deutlich geworden, daß mit dem Beginn der Geschichte die Teilhabe am eschatologischen Heil nur über das Gesetz möglich sein wird. Indem dieses Gesetz an Israel als das Kriterium der Zugehörigkeit zum Volk verliehen wurde, kann dieses Volk schon jetzt seines Heiles sicher sein. Da das Gesetz zugleich der einzige Zugang zum künftigen Heil und das bestimmende Kennzeichen des erwählten Volkes ist, weiß sich das geschichtliche Israel identisch mit der eschatologischen Heilsgemeinde. Wer das Gesetz bewahrt, hat darin sowohl seine bleibende Zugehörigkeit zum erwählten Volk wie die erfüllte Voraussetzung zur Teilhabe am endzeitlichen Heil.[1]

---

[1] Damit ergibt sich, daß dem Frommen zur Erlangung des Heils allein das Bewahren des Gesetzes auferlegt ist. Dadurch wird er Israel und dem göttlichen Plan mit seinem Volk eingeordnet und zum Heil geführt. Weitere Voraussetzungen gibt es nicht; der einzelne Fromme selbst braucht nicht einmal von diesem göttlichen Plan und seiner

e. Auf dem Hintergrund dieser Ergebnisse wird deutlich, daß das Gesetz – im Gegensatz zum Rabbinat – nicht das Gottesverhältnis des Frommen begründet. „Gerechtigkeit" ist für die Apokalyptik nicht eine Qualifikation, die durch ein bestimmtes, an den einzelnen Geboten des Gesetzes orientiertes Handeln des Gerechten selbst erworben werden kann. Mit „Gerechtigkeit" ist vielmehr das Sein des Gerechten beschrieben, dem als Glied des vorzeitlich erwählten Volkes, indem er das Gesetz bewahrt, die Zugehörigkeit zu diesem Volk erhalten bleibt. Nicht das macht den Gerechten aus, daß sein Leben nach den Geboten geregelt und eingerichtet ist, sondern dies, daß sein Sein nicht in dieser Welt begründet ist. Deshalb ist die Gerechtigkeit des Frommen – anders als im pharisäischen Rabbinat – in dieser Welt nicht aufweisbar, sondern, wie der Seinsgrund aller Dinge überhaupt, „verborgen" bis zur eschatologischen Offenbarung. Es ist die geschichtliche Funktion des Gesetzes, daß es, sofern es „bewahrt" wird, dem Frommen seine Zugehörigkeit zu Israel erhält und ihn darin zum „Gerechten" macht, daß es aber, sofern es in der Sünde „verschmäht" wird, den Ungerechten aus der Heilsgemeinde zum eschatologischen Unheil ausstößt.

2. Diese Interpretation des Gesetzes ist in der apokalyptischen Tradition nicht ein zufälliges Ergebnis. Sie ist vielmehr begründet im spezifisch apokalyptischen Verständnis der Geschichte.

Für dieses in der Apokalyptik zentrale Thema war es bezeichnend, daß die Geschichte nicht als die Summe einzelner, untereinander wesenhaft gleicher Situationen in den Blick kam, sondern daß nach dem sie Umgreifenden und nach ihrem Grund gefragt wurde. Und indem dieser Grund als das planvolle Handeln Gottes behauptet wurde, war damit zugleich die Einheit der Geschichte erkannt. Denn es ist das Wesen dieses göttlichen Planes, daß in der von Anfang bis Ende durch ihn bestimmten Geschichte das erwählte Volk auf das Heil hin geführt wird, und zwar so, daß das Einzelne wie das Ganze dieser Zeit dadurch begründet ist. Dieser Einheit der Geschichte entspricht die Einheit des Gesetzes:

> „Darum ist
> ein Gesetz durch Einen,
> eine Welt und
> ein Ende für alle,
> die in ihr sind" (syr. Bar. 85 14).

Relevanz zu wissen. Hier liegt möglicherweise der Grund für die Anweisung, den apokalyptischen Text „geheim" zu halten und ihn nur den „Weisen des Volkes" zu übergeben (IV. Esra 14 46). Dieses kann jedenfalls nicht bedeuten, daß nur die „Weisen" zum Heil gelangen sollen.

Im Blick auf das Handeln Gottes als dem Grund der Geschichte und des eschatologischen Heils der Gerechten werden die Einmaligkeit und die Einheit dieser Welt nachdrücklich hervorgehoben, ebenso aber die entsprechende Struktur des Gesetzes. Im Verhältnis zu Gott und zum Ende gibt es in dieser Welt nur prinzipiell *eine* Situation, in der die Entscheidung vor dem ebenso „einen" Gesetz gefordert ist. Ebendas ist die Situation des Frommen, in der er sich als seinem geschichtlichen Ort vorfindet mit der Aufgabe, jetzt über sein künftiges Heil oder Unheil zu entscheiden. Von daher wird es unmöglich, das Gesetz in die Vielzahl seiner Gebote aufzulösen. Denn es geht nicht um die immer wieder gleiche Frage nach dem Verhältnis von Verdienst und Schuld am einzelnen Gebot, sondern um den geschichtlich einmaligen und unwiederholbaren Schritt zum oder vom Gesetz. Die Einheit der Geschichte fordert die Einheit des Gesetzes.

EXKURS:

Das spezielle Problem des Gesetzes im IV. Esra

Der umfangreichen Aufgabe, von dem bisher aufgewiesenen allgemeinen Grundschema der apokalyptischen Tradition aus die
einzelnen Texte mit der Frage nach ihrem eigenen und besonderen
Thema zu analysieren, kann im Rahmen dieser Arbeit nicht nachgegangen werden. Um seiner weitreichenden religionsgeschichtlichen Bedeutung willen soll jedoch der Blick kurz auf eine wesentliche Seite in der speziellen Problematik des IV. Esra gerichtet
werden.

Es war oben deutlich geworden, daß gerade im IV. Esra das
Gesetz in engstem Zusammenhang mit der Erwählung gesehen
wird.[1] Im Gesetz hat Israel das konkrete Zeichen der Erwählung,
weil nur über das Gesetz die Heilsteilnahme möglich wird. Aber
dem steht nun eine Reihe ganz anderer Aussagen gegenüber. Dasselbe Gesetz, das Israel zur Herrlichkeit bringen soll (9 31) ist es, das
dieses Volk zugleich schuldig spricht. Denn seit Adam ist die Sünde
in der Welt, und Israel ist ihr wie jeder Mensch überhaupt verfallen.

> „Denn der erste Adam trug ein böses Herz
> und übertrat und wurde (von ihm) besiegt,
> aber auch alle, die aus ihm
> geboren sind" (3 21; vgl. 7 118).

Diese Aussage nimmt in vielen Variationen einen großen Raum
ein. Israel hat gesündigt, und keiner, der geboren ist, ist frei von
Sünde; der Seher selbst nimmt sich nicht aus.

> „Denn alle, die geboren sind,
> sind besudelt mit Freveln
> und voll von Sünden
> und beladen mit Verfehlungen" (7 68).[2]

Die Vorstellung solcher allgemeinen Sündhaftigkeit der Menschen
stammt nun ganz offenkundig aus dem Bereich der pharisäischen
Theologie. Hier hat sie ihre deutlichen Parallelen:

> „Wenn einer der Frömmste unter den
> Frommen wäre, ist es doch nicht
> möglich, daß er nicht nach
> (irgend) einer Seite hin in Sünde wäre."[3]

---

[1] Vgl. oben S. 70ff.
[2] Vgl. 7 46; 8 17. 35; 9 20. 32; u.ö.
[3] Lev. R. 14 (115b), Strack-Billerbeck III, S. 156.

Der Zusammenhang mit den pharisäischen Vorstellungen tritt noch besonders dadurch hervor, daß sich auch terminologische Übereinstimmungen finden. So ist die Rede vom „Schatz an guten Werken"[1], und der Begriff des „cor malignum" gehört wohl zweifellos in die pharisäische Lehre vom „bösen Trieb".[2] Wie im Pharisäismus, so scheint also auch im IV. Esra mit der durchgehenden Betonung der allgemeinen Sündhaftigkeit der Menschen die Unsicherheit in bezug auf die Heilsteilnahme ausgesprochen zu sein.

Diese Heilsungewißheit steht im Pharisäismus in engstem Zusammenhang mit der Verdienstlehre. Das schuldhafte Auslassen von Gebotserfüllungen führt zur negativen Anrechnung, deren wechselnder Stand dem Menschen bis zum Tod (oder bis zum jüngsten Tag) verborgen bleibt.[3] Die allgemeine Sündhaftigkeit ist hier also im Verfehlen einzelner Gebote aus der Summe der alltäglichen Bestimmungen begründet. Jedoch ist davon nun im IV. Esra keine Rede. Für die Frage, worin die so häufig betonte allgemeine Sündhaftigkeit besteht, ergibt sich nur eine sehr unvollkommene Auskunft. Es wird weithin allein das „Daß" der Sünde ausgesprochen, und zwar ohne jede Explikation, worin sie besteht:

> „In veritate enim nemo de genitis est,
> qui non impie gessit
> et de confidentibus,
> qui non deliquit" (8 35).

Nur an relativ wenigen Stellen wird diese Sündhaftigkeit konkreter vom Gesetz her beschrieben. Aber dabei zeigt sich, daß hier gerade nicht mehr die pharisäischen Vorstellungen aufgenommen werden. Es heißt:

> 7 45: „Beati qui praesentes
> et observantes,
> quae a te constituta sunt."
> 7 72: „...sensum habentes iniquitatem fecerunt
> et mandata accipientes
> non servaverunt
> et legem consecuti
> fraudaverunt eam,
> quam acceperunt."[4]

---

[1] 7 77; 8 33. 36.

[2] Vgl. den „Kampf", den „jeder kämpfen muß" (7 127 f.) mit Aboth 4 1: „Wer ist ein Held? Wer seinen Trieb unterdrückt." Vgl. Mundle, Das religiöse Problem des IV. Esrabuches, S. 224, und zur pharisäischen Lehre Strack-Billerbeck IV, S. 466 ff. – Möglicherweise besteht auch ein Zusammenhang mit der Geister-Vorstellung in 1QS, vgl. dazu K. G. Kuhn, Die Sektenschrift und die iranische Religion, S. 298 ff.

[3] Vgl. oben S. 32 f.

[4] Beide Stellen stehen im Kontext von Aussagen über die große Sündhaftigkeit der Menschen, vgl. 7 45 ff.; 7 62 ff.

Es ist ohne weiteres deutlich, daß hier die Sünde nicht im pharisäischen Sinne als Verfehlung von Einzelgeboten, sondern ganz und
gar im Zusammenhang mit der apokalyptischen Tradition beschrieben wird. Die Sünde liegt in der Ablehnung des Gesetzes als
Ganzem. Aber dadurch wird nun die Frage schon im Ansatz verändert. Denn es geht jetzt nicht mehr um den Grad einer mehr oder
weniger weitreichenden Sündhaftigkeit und also auch nicht um
eine fragliche Heilsgewißheit,[1] sondern um die radikale Frage nach
Sünde oder Gerechtigkeit überhaupt. So deutlich es ist, daß zunächst das pharisäische Problem in vollem Umfang aufgenommen
ist, so deutlich ist auch, daß es sich wesentlich verwandelt, und zwar
in dem Augenblick, in dem es konkreter gefaßt wird. Dadurch bleiben die Aussagen von der allgemeinen Sündhaftigkeit der Menschen
einerseits und vom Wesen der Sünde als Ablehnung des Gesetzes
andererseits in einer deutlichen und ungelösten Spannung. Denn
das soll gerade nicht gesagt werden, daß die allgemeine Sünde
identisch sei mit der radikalen Ablehnung des Gesetzes.

Das zeigt sich besonders in den Antworten des Offenbarers, die
völlig im Rahmen der apokalyptischen Theologie bleiben. An keiner
Stelle gehen sie auf die so häufigen Hinweise des Sehers auf die
Schuld „aller Geborenen" ein. Vielmehr betonen sie fast stereotyp
die Gültigkeit des göttlichen Geschichtsplanes und des eschatologischen Gerichts mit der Verstoßung aller Sünder, deren Sünde
eben die Ablehnung des Gesetzes ist. Die Heilsgemeinde aber bleibt,
und sei sie noch so klein.[2] Bezeichnend dafür ist 8 35 ff.:

„In veritate enim nemo de genitis est, qui non impie gessit, et de confidentibus,
qui non deliquit. In hoc enim adnuntiabitur iustitia tua et bonitas tua, domine,
cum misertus fueris eis, qui non habent substantiam operum bonorum.
Et respondit ad me et dixit: Recte locutus es aliqua, et iuxta sermones tuos sic
et fiet; quoniam vere non cogitabo super plasma eorum qui peccaverunt, aut
mortem aut iudicium aut perditionem, sed iocundabor super iustorum figmen-
tum, peregrinationis quoque et salvationis et mercedis receptionis."

Diese Antwort des Offenbarers an den Seher enthält im Grunde
eine Abweisung der Frage.[3] Denn hier wird gerade nicht auf die
Formel der allgemeinen Sündhaftigkeit und ebensowenig auf die
Betonung der Gerechtigkeit und Güte Gottes und der guten Werke
(V. 36) eingegangen. Vielmehr wird das apokalyptische radikale
Verständnis der Sünde aufgenommen und der Frage geradezu ent-
gegengestellt. Sünde bedeutet hier auf jeden Fall Untergang, und

---

[1] Ähnlich Mundle, Das religiöse Problem des IV. Esra, S. 242.
[2] Vgl. 7 45 ff.; 7 62 ff.; 7 116 ff.; 7 132 ff.; 8 41 ff.
[3] Vgl. Gunkel in Kautzsch II, S. 381 Anm. 1.

Gerechtigkeit eschatologisches Heil.[1] Damit wird einerseits auf das apokalyptische Verständnis der geschichtlichen Funktion des Gesetzes verwiesen, aber andererseits und zugleich ein anderes Verständnis von Gesetz und Sünde abgelehnt.[2] Freilich wird der Satz von der allgemeinen Sündhaftigkeit auch nie direkt als falsch bezeichnet.[3] Es kommt vielmehr, gerade indem dieser Satz bestehen bleibt, zur ungelösten Spannung mit der göttlichen Antwort.[4]

So zeigt dieses Problem des IV. Esra geradezu beispielhaft die Konfrontation von pharisäischem mit apokalyptischem Denken. Der pharisäische Satz von der allgemeinen Sündhaftigkeit der Menschen, der seinen Ursprung im Schema von Verdienst und Anrechnung hat, wird bewußt und betont aufgenommen. Aber es zeigt sich sofort, daß schon eine Explikation dieses Satzes im Rahmen der apokalyptischen Theologie unmöglich ist. Wo die Sünde vom Gesetz her beschrieben wird, tritt wesentlich das radikale, apokalyptische Verständnis hervor. Und erst recht kommt das in den Antworten des Offenbarers zum Ausdruck. Sie können im Verhältnis zur Rede des Sehers nur in einem Sprung ausgesagt werden, der die eigentlich gestellte Frage übergeht. Die dem Satz von der allgemeinen Sündhaftigkeit zugrunde liegende Frage der Heilsgewißheit hat demnach in der Apokalyptik keinen Raum. Indem sie trotzdem gestellt wird, zeigt sich ihre unabweisbare Gewalt. Im Zuge ihrer Behandlung im IV. Esra wird sowohl die an diesem Punkt hervortretende Unzulänglichkeit der apokalyptischen Theologie, wie aber auch die Unvereinbarkeit von pharisäischem und apokalyptischem Denken beispielhaft deutlich.

---

[1] Vgl. in dem ähnlichen Gedankengang 7 62 ff. die wiederholten Hinweise auf den göttlichen Geschichtsplan 7 70. 74.

[2] Mundle, Das religiöse Problem, S. 245, spricht mit Recht von einem „Unterschied zwischen Sünde und Sünde". Das darf jedoch das Problem nicht entschärfen.

[3] Nur der Seher selbst wird ausgenommen, 7 76 f.; 8 47 f.

[4] Es ist bezeichnend, daß diese Spannung im syr. Bar. aufgelöst ist. Dort wird zwar in gleicher Weise die Klage erhoben: „O Adam, was hast du getan?" (syr. Bar. 48 42 und IV. Esra 7 118); sie wird indessen − konsequent im apokalyptischen Sinne − auf die Gottlosen und Sünder bezogen (48 48), die Gerechten stehen ihnen von der Klage unbetroffen gegenüber (48 49). Der pharisäische Satz von der allgemeinen Sündhaftigkeit der Menschen bleibt ausgeschlossen.

SCHLUSS

Der eigentliche Anlaß für die Untersuchung war, wie einleitend bemerkt wurde, die religionsgeschichtliche Frage nach der Bedeutung der spätjüdischen Theologie für das Verständnis des Neuen Testaments. Diese Frage kann hier nicht mehr ausführlich aufgenommen werden. Doch sollen die Ergebnisse der Untersuchung noch einmal im Blick auf die leitende Frage formuliert werden.

Die apokalyptische Tradition hat sich als ein theologischer Entwurf eigener Prägung erwiesen, der in seinen grundsätzlichen Zügen vom Ansatz der pharisäisch-rabbinischen Theologie durchaus zu unterscheiden ist. Diese Einsicht läßt es nicht zu, in den apokalyptischen Texten lediglich das eschatologische Vorstellungsgut einer spätjüdischen Religiosität zu sehen, die im übrigen und Grundsätzlichen von der rabbinischen Tora-Theologie bestimmt wäre. Es ist vielmehr notwendig, den Rekurs auf das Spätjudentum im religionsgeschichtlichen Vergleich mit neutestamentlichen Texten genauer zu präzisieren.

Das gilt zunächst für den Begriff der „Eschatologie". Die allgemeine und konventionelle Formel von der „spätjüdischen" oder „apokalyptischen" Eschatologie, der als einzige theologische Tendenz das „Berechnen des Endes" zugestanden wird, reicht nicht aus, um den religionsgeschichtlichen Tatbestand angemessen und vollständig zu beschreiben. Vielmehr ist zu bedenken, daß damit lediglich ein Ausschnitt aus einem theologischen Gesamtentwurf erfaßt ist, der nicht einfach für sich genommen und verabsolutiert werden darf. Der Blick auf das eigentliche Anliegen dieser Theologie wäre dadurch grundsätzlich verstellt, und das unter einem so isolierten Aspekt entworfene religionsgeschichtliche Bild muß notwendig verzerrt und fragwürdig bleiben. Die Charakterisierung der auf diese Weise ins Auge gefaßten Apokalyptik als ein Versuch, „das Ende zu berechnen", ist überdies sachlich falsch. Ebenso ginge der Verweis auf eine allgemeine „spätjüdische Eschatologie" daran vorbei, daß diese Vorstellungen in zwei verschiedenen theologischen Bereichen beheimatet sind, die sowohl grundsätzlich wie im einzelnen auseinandergehalten werden müssen. Die eschatologischen Vorstellungen haben im Rabbinat und in der Apokalyptik nicht nur verschiedene Ausformungen, sondern auch ein sehr verschiedenes Schwergewicht im jeweiligen Ganzen des Zusammenhangs. So ist besonders in dieser Hinsicht eine genaue Differenzierung geboten.

In ähnlicher Weise gilt das für das Gesetzesverständnis im Spätjudentum. Auch hier hat die Untersuchung ergeben, daß in der apokalyptischen Tradition eine gegenüber der rabbinischen ToraAuslegung durchaus eigene und andere Deutung von Gesetz und Gerechtigkeit vorliegt. Die Zusammenfassung des spätjüdischen Gesetzesverständnisses etwa als kasuistischer Nomismus ist deshalb unzureichend. Wäre schon die rabbinische Gesetzesinterpretation damit nur unzulänglich beschrieben, so kann sie keinesfalls für das gesamte Spätjudentum in Anspruch genommen werden. Denn es muß der Einsicht Rechnung getragen werden, daß es neben der später normativ gewordenen rabbinischen Tora-Auslegung im Spätjudentum einen theologischen Entwurf gegeben hat, der das Gesetz nicht als Kodex und Gebotssammlung verstand, sondern als das die Heilsgemeinde sammelnde und einende Dokument göttlicher Erwählung. Der religionsgeschichtliche Hintergrund einzelner neutestamentlicher Texte wird deshalb gerade auch im Blick auf das Gesetzesverständnis genauer und schärfer zu bestimmen sein.[1]

Im Zusammenhang dieser Erwägungen erscheint die Leistung der apokalyptischen Theologie von durchaus besonderer Bedeutung. Sie wird vor allem in der radikalen Universalität des geschichtstheologischen Ansatzes zu sehen sein.[2] In zweifacher Hinsicht wird dieser Schritt zur universalen Weltgeschichte vollzogen. Geschichte ist Geschichte der ganzen Welt, insofern nicht allein Israel – so deutlich es im Mittelpunkt steht –, sondern die Menschheit insgesamt umfaßt wird; und sie ist zugleich darin Geschichte der Welt im ganzen, daß sie die Summe des Weltlaufs von der Schöpfung bis zum Ende umgreift. In Ansätzen freilich war dieser Entwurf der Apokalyptik vom Alten Testament her – der Prophetie einerseits und der Geschichtsschreibung andererseits – vorgegeben.[3] Die eigene

---

[1] U. Wilckens hat in seiner Antrittsvorlesung: „Das religionsgeschichtliche Problem der Bekehrung des Paulus" die genauere Differenzierung der spätjüdischen Religion zugrunde gelegt und für das Verständnis der paulinischen Theologie fruchtbar gemacht.

[2] Vgl. dazu W. Pannenberg, Heilsgeschehen und Geschichte, Kerygma und Dogma 5, 1959, S. 218–237.

[3] Bultmann (Geschichte und Eschatologie, S. 28f.) hat den Zusammenhang und die Vereinbarkeit der dualistischen Eschatologie mit den alttestamentlichen Vorstellungen von Gott und Geschichte und damit deren sachgemäße Aufnahme und Weiterführung in der Apokalyptik bestritten. Vor allem die alttestamentliche „Vorstellung von Gott als dem Schöpfer" stehe der dualistischen Eschatologie entgegen, ebenso aber, daß im Alten Testament nicht die Weltgeschichte, sondern die Geschichte des Volkes Israel in den Blick gefaßt werde (S. 29). In bezug auf den erstgenannten Punkt kann man Bultmann gegen sich selbst anführen: „Mit dem alttestamentlichen Schöpfungsglauben konnte diese Vorstellung (der zwei Äonen) vereint werden, wenn der Gedanke Platz griff, daß die gute Schöpfung schon am Anfang verdorben wurde, und zwar durch den Fall Adams, der dadurch ein ganz neues Gewicht gewann, das er im Alten Testament

und historische Leistung der apokalyptischen Theologie war es indessen, diese Ansätze zu einer universalen Theologie der Geschichte
zusammenzufassen, die zum Bezugssystem und zur Grundlage für
das Verständnis des Menschen und für die Interpretation von Sünde
und Gerechtigkeit werden konnte.

noch nicht gehabt hatte" (Ursprung und Sinn der Typologie als hermeneutischer
Methode, Sp. 207). Inzwischen hat Pannenberg (Heilsgeschehen und Geschichte, S.
223) mit Recht geltend gemacht, daß „die Äonenvorstellung den Schöpfungsglauben
nicht verdrängt" hat (sie wird vielmehr durch ihn begründet!), insofern der Schöpfer-
gott Lenker dieser Geschichte ist; und ferner ist Gott als Lenker der Geschichte „schon bei
den Propheten nicht auf Israel beschränkt" (ebd.). Die Argumentation Bultmanns geht
also einerseits am apokalyptischen, andererseits am alttestamentlichen Sachverhalt vorbei. Auch bei Plöger (Theokratie und Eschatologie), der die Entstehung der Apokalyptik innerhalb des Alten Testaments untersucht, findet sich kein Anhalt für den von Bultmann behaupteten Widerspruch. Die Argumente Bultmanns sind indessen verständlich
auf dem Hintergrund seiner einseitig verabsolutierten Auffassung der Apokalyptik als
purer Eschatologie.

LITERATURVERZEICHNIS

A. Quellen

Bensly, R.: The fourth book of Ezra, Texts and studies ed. Robinson, Cambridge 1895.

Bonwetsch, G. N.: Die Bücher der Geheimnisse Henochs, Texte und Untersuchungen 44, 2; Leipzig 1922.

Burrows, M.: The Dead Sea Scrolls, New Haven, I 1950; II 1951.

Charles, R. H.: The ethiopic version of the hebrew book of Jubilees, Anecdota Oxoniensa, semitic series, part VIII, Oxford 1895.

————: The ethiopic version of the book of Enoch, Anecdota Oxoniensa, semitic series, part XI, Oxford 1906.

————: The greek versions of the Testaments of the twelve Patriarchs, Oxford 1908.

————: The Apocrypha and Pseudepigrapha of the Old Testament, 2Bde. Oxford 1913.

Clemen, C.: Die Himmelfahrt des Mose, Kleine Texte ed. Lietzmann, 10, Bonn 1924.

Finkelstein, L.: Sifre zu Deuteronomium, Breslau 1935ff.

Flemming, J. und Radermacher, L.: Das Buch Henoch, gr. chrstl. Schrft. Bd. 5, Leipzig 1901.

Fritzsche, O. F.: Libri apocryphi Veteris Testamenti, Lips. 1871.

Geffcken, J.: Die oracula Sibyllina, gr. christl. Schr. Bd. 8, Leipzig 1902.

Goldschmidt, L.: Der Babylonische Talmud, Bde. I–IX, Berlin, Leipzig, Haag 1897–1935.

James, R. M.: The Testament of Abraham, Texts and studies ed. Robinson, Vol. II, No. 2, Cambridge 1892.

————: Die griechische Baruchapokalypse, Texts and studies ed. Robinson, Vol. V, No. 1, Cambridge 1897.

Kautzsch, E.: ed.: Die Apokryphen und Pseudepigraphen des Alten Testaments, 2 Bde, Tüb. 1900; (Kautzsch).

Kmosko, M.: Testamentum Patris nostri Adam, Patrologia Syriaca, ed. Graffin, pars I, tom. II, Paris 1907, Sp. 1319ff.

————: Apocalypsis Baruch, Patrologia Syriaca, ed. Graffin, pars I, tom. II, Paris 1907, Sp. 1056ff.

Kuhn, K. G.: Sifre zu Numeri, bearbeitet und erklärt, Stuttgart 1933ff.

Odeberg, H.: 3 Enoch or the Hebrew book of Enoch, Cambridge 1928.

Riessler, P.: Altjüdisches Schrifttum außerhalb der Bibel, Augsburg 1928.

Steindorff: Die Apokalypse des Elias, Texte und Untersuchungen N.F. II, 3a, Leipzig 1899.

Sukenik, E. L.: The Dead Sea Scrolls of the Hebrew University, Jerusalem 1955.

Tischendorff, C.: Apocalypses apocryphae, Lips. 1866.

Vaillant, A.: Le Livre des Secrets d'Hénoch, Paris 1952.

Violet, B.: Die Esra-Apokalypse (IV. Esra), gr. christl. Schr. 18, Leipzig 1910.

————: Die Apokalypsen des Esra und Baruch in deutscher Gestalt, gr. christl. Schr. 32, Leipzig 1924.

Flavii Josephi opera, ed. B. Niese, Berlin 1888ff.

Discoveries in the Judaean desert, Qumran Cave I, ed. Barthelemy, D. and Milik, J. T. Oxford 1955.

Mischna, hersg. von Rengstorf und Rost, Gießen-Berlin 1912ff.

Tosefta, ed. Zuckermandel, Pasewalk 1880.

Midrasch Pentateuch rabba, Venedig 1545, übs. Wünsche, Leipzig 1880ff.

Sifra zu Leviticus, Bukarest 1860.
Aboth de Rabbi Nathan, ed. Schechter, Wien 1887.

B. Literatur

Aalen, S.: Die Begriffe „Licht" und „Finsternis" im Alten Testament, im Spätjudentum und im Rabbinismus, 1951.

Andel, C. P. van: De structuur van de Henoch-Traditie en het Nieuwe Testament, Utrecht 1955.

Appel, H.: Die Komposition des äthiopischen Henochbuches, B. F. ch. Th. 10, 3, Gütersloh 1906.

Aschermann, H.: Die paränetischen Formen der „Testamente der zwölf Patriarchen" und ihr Nachwirken in der frühchristlichen Mahnung, Diss. Berlin 1955.

Bacher, W.: Die Agada der Tannaiten, Straßburg, I. Bd. 2. A. 1903; II. Bd. 1890.

————: Die exegetische Terminologie der jüdischen Traditionsliteratur, Leipzig, I. Bd. 1899, II. Bd. 1905; (Bacher, Terminologie).

————: Tradition und Tradenten in den Schulen Palästinas und Babyloniens, Leipzig 1914.

Baldensperger, W.: Das Selbstbewußtsein Jesu im Lichte der messianischen Hoffnungen seiner Zeit, Straßburg, 3. A. 1903.

Beek, M. A.: Inleiding tot de Joodse Apocalyptiek, Haarlem 1950.

Behm, J.: Johannesapokalypse und Geschichtsphilosophie, Zeitschrift für systematische Theologie 2, 1924, S. 323 ff.

Bentzen, A.: Das Buch Daniel, Handbuch zum Alten Testament hrsg. von Eißfeldt, Tübingen, 2. A. 1952.

Bertholet, A.: Die Stellung der Israeliten und der Juden zu den Fremden, Freiburg 1896.

Bévenot, H.: Die beiden Makkabäerbücher, in: Die Heilige Schrift Alten Testaments, hrsg. von Feldmann und Herkenne, Bonn 1931.

Bickermann, E.: Die Makkabäer, Berlin 1935.

————: Der Gott der Makkabäer, Berlin 1937.

Bietenhard, H.: Die himmlische Welt im Urchristentum und Spätjudentum, Wissenschaftliche Untersuchungen zum Neuen Testament 2, Tübingen 1951.

Boman, Th.: Das hebräische Denken im Vergleich mit dem griechischen, Göttingen, 2. A. 1954.

Bonsirven, J.: Le Judaisme palestinien au Temps de Jésus-Christ, Ed. abr. Paris 1950.

Booth, K. H.: The bridge between the Testaments, 1929.

Bornkamm, G.: Der Lohngedanke im Neuen Testament, Ev. Theol. 6, 1946/47, S. 143 ff. abgedruckt in: Studien zu Antike und Christentum, München 1959.

————: Das Ende des Gesetzes, Paulusstudien, München 1952.

————: Enderwartung und Kirche im Matthäusevangelium, in: The background of the New Testament and its eschatology, in Honour of Ch. H. Dodd, Cambridge 1956, S. 222 ff; abgedruckt in: Überlieferung und Auslegung im Matthäus-Evangelium, Neukirchen 1960.

————: Jesus von Nazareth, Urban-Bücher 19, Stuttgart 1956.

Bousset, W.: Jesu Predigt in ihrem Gegensatz zum Judentum, Göttingen 1892.

————: Die jüdische Apokalyptik, ihre religionsgeschichtliche Herkunft und ihre Bedeutung für das Neue Testament, 1903.

————: Volksfrömmigkeit und Schriftgelehrtentum, 1903.

————: Die Religion des Judentums im späthellenistischen Zeitalter, hrsg. von Greßmann, 3. A. Tüb. 1926. (Bousset-Greßmann).

Braun, H.: Spätjüdisch-häretischer und frühchristlicher Radikalismus, 2 Bde, Beitr. z. hist. Theol. 24, Tübingen 1957.

Buechler, A.: Der galiläische Am-ha-Arez des zweiten Jahrhunderts, Wien 1906.

———: Studies in sin and atonement in the Rabbinic literature of the first century, London 1938.

Bultmann, R.: Reich Gottes und Menschensohn, Th. R.N.F. 9, 1937, S. 1ff.

———: Ursprung und Sinn der Typologie als hermeneutischer Methode, ThLZ 75, 1950, Sp. 205–212.

———: Das Urchristentum im Rahmen der antiken Religionen, Zürich, 2. A. 1954.

———: Theologie des Neuen Testaments, Tübingen 3. A. 1958.

———: Geschichte und Eschatologie, Tübingen 1958.

Charles, R. H.: Religious development between the Old and the New Testaments, London 1914, repr. 1948.

Clemen, C.: Die Zusammensetzung des Buches Henoch, der Apokalypse des Baruch und des IV. Esra, Th. St. Kr. 71, 1898, S. 211ff.

Couard, L.: Die religiösen und sittlichen Anschauungen der alttestamentlichen Apokryphen und Pseudepigraphen, Gütersloh 1907.

Cullmann, O.: Christus und die Zeit, Zürich, 2. A. 1948.

Dahl, N. A.: Das Volk Gottes, eine Untersuchung zum Kirchenbewußtsein des Urchristentums, Oslo 1941; Skrifter utg. av det Norske Videnskaps-Akademi i Oslo, II. Hist.-Fil. Kl. 1941 No. 2.

Dalbert, P.: Die Theologie der hellenistisch-jüdischen Missionsliteratur unter Ausschluß von Philo und Josephus, Theologische Forschungen Bd. 4, Hamburg 1954.

Dalman, G.: Arbeit und Sitte in Palästina, 4 Bde, Gütersloh 1928ff.

Daube, D.: The New Testament and Rabbinic Judaism, London 1956.

Delling, G.: Das Zeitverständnis des Neuen Testaments, 1940.

Dietrich, E. K.: Die Umkehr (Bekehrung und Buße) im Alten Testament und im Judentum, Stuttgart 1936.

Dillmann, A.: Das Buch Henoch, Leipzig 1853.

———: Lexicon linguae aethipicae, Lips. 1865.

Ebeling, G.: Zur theologischen Lehre vom Gesetz, ZThK 55, 1958, S. 270–306.

Eichrodt, W.: Heilserfahrung und Zeitverständnis im Alten Testament, Theol. Zeitschrift 12, 2, 1956, S. 103ff.

Eißfeldt, O.: Einleitung in das Alte Testament, Tübingen, 2. A. 1956.

Elliger, K.: Studien zum Habakuk-Kommentar vom Toten Meer, Beitr. z. hist. Theol. 15, Tübingen 1953.

Fichtner, J.: Glaube und Geschichte in der israelitisch-jüdischen Weisheitsliteratur, ThLZ 76, 1951, Sp. 145ff.

Finkelstein, L.: The Pharisees: Their origin and their philosophy, Harv. Theol. Rev. XXII Nr. 3, 1929, S. 185ff.

———: The Pharisees, 1938.

Foerster, W.: Der Ursprung des Pharisäismus, ZNW 34, 1935, S. 35ff.

Friedländer, M.: Geschichte der jüdischen Apologetik, Zürich 1903.

———: Die religiösen Bewegungen innerhalb des Judentums im Zeitalter Jesu, Berlin 1905.

Frost, St. B.: Old Testament Apocalyptic, London 1952.

Gaster, M.: The exempla of the Rabbis, London 1924.

Gfrörer, A. F.: Das Jahrhundert des Heils, 2 Bde, Stuttgart 1838.

Glatzer, N. N.: Untersuchungen zur Geschichtslehre der Tannaiten, Berlin 1933.

Goppelt, L.: Christentum und Judentum im ersten und zweiten Jahrhundert, Gütersloh 1954.

Gunkel, H.: Schöpfung und Chaos in Urzeit und Endzeit, Göttingen, 2. A. 1921.

Guttmann, M.: Zur Entstehung des Talmuds, in: Entwicklungsstufen der jüdischen Religion, Vorträge des Institutum Judaicum Berlin, Giessen 1927, S. 43ff.

Heidland, H. W.: Die Anrechnung des Glaubens zur Gerechtigkeit, BWANT IV, 18, 1936.

Helfgott, B. W.: The doctrine of election in Tannaitic literature, New York 1954.

Herford, R. Tr.: Das pharisäische Judentum, Leipzig 1913.

————: The Pharisees, London 1924.

Hilgenfeld: Die jüdische Apokalyptik in ihrer geschichtlichen Entwicklung, Jena 1857.

Hölscher, G.: Kanonisch und Apokryph, Leipzig 1905.

————: Geschichte der israelitischen und jüdischen Religion, 1922.

————: Urgemeinde und Spätjudentum, 1928.

Hooke, S. H.: The myth and ritual pattern in Jewish and Christian apocalyptic, in: The Labyrinth, Further studies in the relation between myth and ritual in the ancient world, London 1935.

Jansen, H. L.: Die spätjüdische Psalmendichtung, ihr Entstehungskreis und ihr „Sitz im Leben", Skrifter utg. av det Norske Videnskaps-Akademi i Oslo, II. Hist.-Filos. Kl. 1937, No. 3.

————: Die Henochgestalt, ebd. 1939, No. 1.

————: Die Politik Antiochus' IV. ebd. 1943, No. 3.

Jaubert, A.: Le calendrier des Jubilés et de la secte de Qumrân. Ses origines bibliques, Vetus Testamentum 3, 1953, S. 250ff.

Jeremias, J.: Jerusalem zur Zeit Jesu, 1924ff.; Teil II B, Leipzig 1929; 2. Aufl. Göttingen 1958.

————: Der Gedanke des „Heiligen Restes" im Spätjudentum und in der Verkündigung Jesu, ZNW 42, 1949, S. 184ff.

Kaatz, S.: Die mündliche Lehre und ihr Dogma, 2 Bde, 1922f.

Keulers, J.: Die eschatologische Lehre des vierten Esrabuches, Biblische Studien 20, Freiburg 1922.

Kittel, G.: Die Probleme des palästinensischen Spätjudentums und das Urchristentum, BWANT 3, 1, Sttgt. 1926.

Koch, K.: Gibt es ein Vergeltungsdogma im Alten Testament? ZThK 52, 1955, S. 1ff.

Kraeling, C. H.: Anthropos and son of man, New York 1927.

Kretschmar, G.: Himmelfahrt und Pfingsten, ZKG 66, 1954/55, S. 209ff.

Kümmel, W. G.: Die Gottesverkündigung Jesu und der Gottesgedanke des Spätjudentums, Judaica 1, 1945, S. 40ff.

————: Das Neue Testament, Geschichte der Erforschung seiner Probleme, Sammlung Orbis Academicus III, 3, Freiburg und München 1958.

Kuhn, K. G.: Die Entstehung des talmudischen Denkens, Forschungen zur Judenfrage Bd. I, 1937, S. 64ff.

————: Die in Palästina gefundenen hebräischen Texte und das Neue Testament, ZThK 47, 1950, S. 192ff.

————: Die Sektenschrift und die iranische Religion, ZThK 49, 1952, S. 296ff.

Lagrange, M. J.: Le judaisme avant Jesus-Christ, Paris 1931.

Leszynski, R.: Die Sadduzäer, 1912.

Lightfoot, Joh.: Horae hebraicae et talmudicae, ed. Leusden, Franeker 1699.

Lohse, E.: Märtyrer und Gottesknecht, FRLANT, N.F. 46, Tübingen 1955.

Maass, F.: Von den Ursprüngen der rabbinischen Schriftauslegung, ZThK 52, 1955, S. 129ff.

Manson, T. W.: Some reflections on apokalyptic, in: Aux sources de la tradition chrétienne, Festschrift für M. Goguel, Paris 1950, S. 139ff.

Marcus, R.: Law in the apocrypha, New York, Columbia university press 1927; (Columbia university oriental studies, vol. XXVI).

Marmorstein, A.: The old rabbinic doctrine of God, London 1927.

Messel, M.: Die Einheitlichkeit der jüdischen Eschatologie, BZAW 30, 1915.

Meuschen, Joh. Gerh.: Novum Testamentum ex Talmude et antiquitatibus Judaeorum illustratum, 1736.

Meyer, E.: Ursprung und Anfänge des Christentums, 3 Bde, Stuttgart 1921–23.

Meyer, R.: Die Bedeutung des Pharisäismus für Geschichte und Theologie des Judentums, ThLZ 77, 1952, Sp. 677ff.

Molin, G.: Qumran- Apokalyptik -Essenismus, Saeculum 6, 1955, S. 244–281.

Moore, G. F.: Judaism in the first centuries of the Christian era, 3 Bde, Cambridge 1927–30.

Morgenstern, J.: The calendar of the Book of Jubilees, its origin and its character, Vetus Testamentum V, 1955, S. 34ff.

Mundle, W.: Das religiöse Problem des 4. Esrabuches, ZAW 47, 1929, S. 222ff.

Noth, M.: Die Gesetze im Pentateuch. Schriften der Königsberger Gelehrten Gesellschaft, Geisteswissenschaftliche Klasse, 17. Jahr (1940), Heft 2; abgedruckt in: Gesammelte Studien zum Alten Testament, Theologische Bücherei 6, München 1957, S. 9–141.

———: Geschichte Israels, Göttingen, 4. A. 1959.

———: Das Geschichtsverständnis der alttestamentlichen Apokalyptik, Köln und Opladen, 1954; abgedruckt in: Gesammelte Studien zum Alten Testament, Theologische Bücherei 6, München 1957, S. 248ff.

Oepke, A.: Das neue Gottesvolk, Gütersloh 1950.

Oesterley, W. O. E.: An introduction to the books of the apocrypha, London 1935.

Otto, R.: Reich Gottes und Menschensohn, München 1934.

Pannenberg, W.: Heilsgeschehen und Geschichte, Kerygma und Dogma 5, 1959, S. 218–237.

Perles, F.: Boussets Religion des Judentums im neutestamentlichen Zeitalter kritisch untersucht, Berlin 1903.

Pesch, W.: Der Lohngedanke in der Lehre Jesu, verglichen mit der religiösen Lohnlehre des Spätjudentums, Münchener Theologische Studien, I. Hist. Abt. 7. Bd. 1955.

Pfeiffer, R. H.: History of New Testament times, New York 1949.

Pidoux, G.: A propos de le notion biblique de temps, Revue de Théologie et de Philosophie 1952, 2, S. 120ff.

Plöger, O.: Theokratie und Eschatologie, Wissenschaftliche Monographien zum Alten und Neuen Testament, Bd. 2, Neukirchen 1959.

Rad, G. von: Das Geschichtsbild des Chronistischen Werks, Stuttgart 1930.

———: Der Heilige Krieg im alten Israel, Göttingen, 2. A. 1952.

———: Theologie des Alten Testaments, Bd. I, München 1957, 2. A. 1958.

Ratschow, C. H.: Anmerkungen zur theologischen Auffassung des Zeitproblems, ZThK 51, 1954, S. 360ff.

Rissi, M.: Zeit und Geschichte in der Offenbarung des Johannes, Abhandlungen zur Theologie des Alten und Neuen Testaments 22, Zürich 1952.

Rönsch, H.: Das Buch der Jubiläen, Leipzig 1874.

Rosenthal, E., Oesterley, W. O. E., Loewe: Judaism and Christianity, 3 Bde. London 1937f.

Rowley, H. H.: The relevance of apocalyptic, London, 2. A. 1947.

Rudolph, W.: Chronikbücher, Handbuch zum Alten Testament, I, 21, Tübingen 1955.

Sabatier, A.: L'Apokalypse juive et la philosophie de l'histoire, Revue des études juives 40, 1900, Actes et conferences, S. LXVff.

Schlatter, A.: Rabbi Jochanan ben Zakkai, der Zeitgenosse der Apostel, Beitr. z. Förd. christl. Theol. 3, Gütersloh 1899.

——: Geschichte des Christus, Stuttgart, 2. A. 1923.

——: Geschichte Israels von Alexander dem Großen bis Hadrian, Stuttgart, 3. A. 1925.

Schoeps, H. J.: Paulus. Die Theologie des Apostels im Lichte der jüdischen Religionsgeschichte, Tübingen 1959.

Schürer, E.: Geschichte des jüdischen Volkes im Zeitalter Jesu Christi, 3 Bde., Leipzig, 4. A. 1901–1909.

Schweitzer, A.: Geschichte der Leben-Jesu-Forschung, Tübingen, 6. A. 1951.

Schweizer, E.: Erniedrigung und Erhöhung bei Jesus und seinen Nachfolgern, Zürich 1955.

Seeligmann, I. L.: Voraussetzungen der Midraschexegese, Vetus Testamentum Suppl. I, 1953, S. 150ff.

Sjöberg, E.: Gott und die Sünder im palästinensischen Judentum, BWANT IV, 27, Stuttgart 1939.

——: Der Menschensohn im äthiopischen Henochbuch, Skrifter utg. av Kungl. Humanistiska Vetenskapssamfundet i Lund, 41, Gleerup 1946.

——: Der verborgene Menschensohn in den Evangelien, ebd. 53, 1955.

Smend, J.: Über jüdische Apokalyptik, ZAW 5, 1885, S. 222ff.

Stauffer, E.: Das theologische Weltbild der Apokalyptik, Zeitschr. f. systemat. Theol. 8, 1930/31, S. 203ff.

——: Theologie des Neuen Testaments, Stuttgart, 3. A. 1947.

Steuernagel, K.: Die Strukturlinien der Entwicklung der jüdischen Eschatologie, Bertholet-Festschrift, 1950, S. 479ff.

Stier, F.: Zur Komposition und Literarkritik der Bilderreden des äthiopischen Henoch, Oriental. Studien für E. Littmann, Leiden 1935.

Strack, H. L.: Einleitung in Talmud und Midrasch, München, 5. A. 1930.

Strack, H. L. und Billerbeck, P.: Kommentar zum Neuen Testament aus Talmud und Midrasch, 4 Bde., München 1922ff. (Strack-Billerbeck).

Tödt, H. E.: Der Menschensohn in der synoptischen Überlieferung, Gütersloh 1959.

Torrey, C. C.: The apocryphal literature, New Haven 1945.

Volz, P.: Jüdische Eschatologie von Daniel bis Akiba, Tübingen 1903; 2. A.: Die Eschatologie der jüdischen Gemeinde im neutestamentlichen Zeitalter, 1934.

Weber, F.: Jüdische Theologie auf Grund des Talmud und verwandter Schriften, 2. A. hersg. von Delitzsch und Schnedermann, Leipzig 1897.

Weiss, Joh.: Jesu Predigt vom Reiche Gottes, Göttingen 1892; 2. A. 1902.

Wellhausen, J.: Skizzen und Vorarbeiten, VI, Berlin 1899.

——: Die Pharisäer und die Sadduzäer, 2. A. 1924.

——: Israelitische und jüdische Geschichte, 9. Aufl. Berlin 1958.

Wendland, H. D.: Geschichtsanschauung und Geschichtsbewußtsein im Neuen Testament, Göttingen 1938.

Wendland, P: Die hellenistisch-römische Kultur in ihren Beziehungen zu Judentum und Christentum, HNT I, 2 und 3, 3. Aufl. Tübingen 1912.

Werner, M.: Die Entstehung des christlichen Dogmas, 2. Aufl., Bern und Tübingen 1953.

Wichmann, W.: Die Leidenstheologie, eine Form der Leidensdeutung im Spätjudentum, BWANT IV, 2, Stuttgart 1930.

Wilckens, U.: Weisheit und Torheit, eine exegetisch-religionsgeschichtliche Untersuchung zu 1. Kor. 1 und 2, Beitr. z. hist. Theol. 26, Tübingen 1959.

——: Die Bekehrung des Paulus als religionsgeschichtliches Problem, ZThK 56, 1959. S. 273ff.

Zeitlin, S.: The book of Jubilees, its character and its significance, J. Q. R. XXX, 1939/40, S. 1ff.

Realencyklopädie für protestantische Theologie und Kirche, Leipzig 1896ff.

Die Religion in Geschichte und Gegenwart, Tübingen, 2. A. 1927ff.; 3. A. 1957ff.

Theologisches Wörterbuch zum Neuen Testament, ed. G. Kittel, G. Friedrich, Stuttgart 1933ff.

WISSENSCHAFTLICHE MONOGRAPHIEN
ZUM ALTEN UND NEUEN TESTAMENT
Herausgegeben von Günther Bornkamm und Gerhard von Rad

An weiteren Veröffentlichungen sind vorgesehen:

Band 4 Doz. Dr. Klaus Baltzer, Heidelberg
Das Bundesformular
1960, 208 S., brosch. DM 17,45, Ln. DM 19,50

Band 5 Doz. Dr. Ulrich Wilckens, Marburg
Die Missionsreden der Apostelgeschichte
Form- und traditionsgeschichtliche Untersuchungen
Herbst 1960, ca. 224 S., brosch. DM 23,40, Ln. DM 26,65

Band 6 Doz. Dr. Robert Bach, Bonn
*Die Aufforderungen zur Flucht und zum Kampf im alttestament-
lichen Prophetenspruch*

Band 7 Dr. Henning Graf Reventlow, Kronshagen
Das Heiligkeitsgesetz, formgeschichtlich untersucht

Band 8 Prof. Dr. Rolf Rendtorff, Berlin
Studien zur Geschichte des Opfers im alten Israel

Band 9 Dr. Dieter Georgi, Heidelberg
Die Gegner des Paulus im 2. Korintherbrief

Bei Abnahme von mindestens fünf Titeln in der Reihenfolge ihres Erscheinens
wird ein Subskriptionsnachlaß von 10 % gewährt.